ROME

D0655009

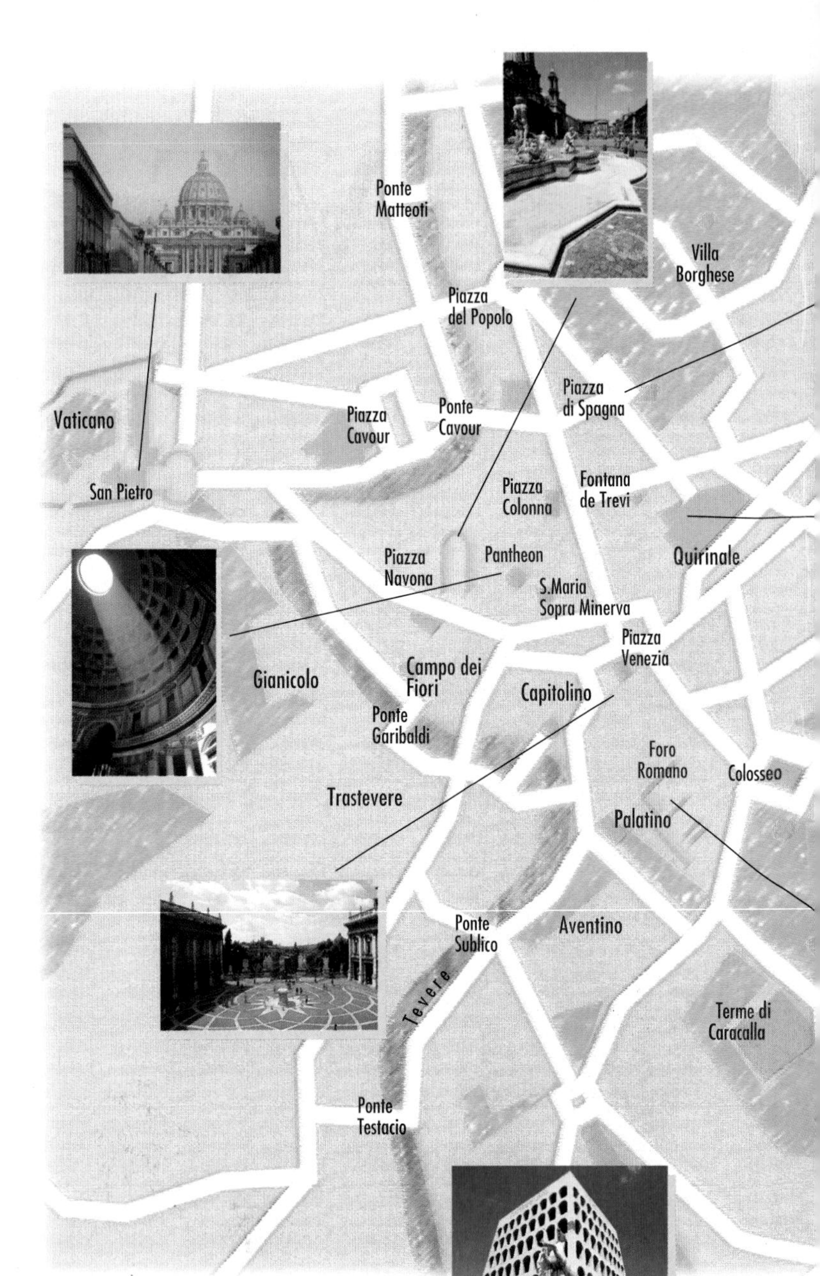
Ponte
Matteoti
Villa
Borghese
Piazza
del Popolo
Piazza
di Spagna
Vaticano
Piazza
Cavour
Ponte
Cavour
San Pietro
Piazza
Colonna
Fontana
de Trevi
Piazza
Navona
Pantheon
Quirinale
S.Maria
Sopra Minerva
Piazza
Venezia
Gianicolo
Campo dei
Fiori
Capitolino
Ponte
Garibaldi
Foro
Romano
Colosseo
Trastevere
Palatino
Ponte
Sublico
Aventino
Tevere
Terme di
Caracalla
Ponte
Testacio

Porta
Pia
S. Maria
Maggiore
Esquilino
Laterano

La place Saint-Pierre de Rome ouvre ses colonnades en arc de cercle comme des bras prêts à accueillir les pèlerins ou simplement les visiteurs du monde entier.

Tous les chemins mènent à Rome : la ville éternelle, son histoire, ses trésors et sa fameuse *dolce vita* exercent une attraction unique depuis plus de 2000 ans.

Plaisir de la vie à Rome aujourd'hui...

Rome, ville éternelle

« Vue magnifique sur la voie Appienne, marquée par une suite de monuments en ruine ; admirable solitude de la campagne de Rome ; effet étrange des ruines au milieu de ce silence immense. Comment décrire une telle sensation ? J'ai eu trois heures de l'émotion la plus singulière [...]. J'ai fait arrêter la calèche pour lire deux ou trois inscriptions romaines. Il y a quelque chose de naïf et de badaud dans mon respect passionné pour une inscription vraiment antique. » Stendhal (1817).

Avant de devenir le cœur du monde chrétien, Rome a été l'un des berceaux de la civilisation occidentale, et l'empreinte de ce passé est encore sensible aujourd'hui.

Pour expier leurs fautes, les fidèles se voyaient imposer des pénitences, indexées sur des sortes de barèmes, dont ils se libéraient par des bonnes actions, des aumônes ou des messes. Les abus de la pratique des "indulgences" provoquèrent la révolte du théologien allemand Luther, à l'origine de la Réforme protestante.

Lorsque l'imprimerie invente les guides de voyage à la fin du XVe siècle, Rome est l'une des premières destinations décrites. Entre 1475 et 1600, on compte plus de soixante-dix éditions – latines, puis italiennes, françaises et allemandes – pour le guide le plus célèbre, *Les Merveilles de Rome.* Il indiquait au pèlerin les stations obligatoires de son itinéraire et le nombre d'années d'indulgences que lui vaudrait chacune... La ville antique y est traitée en un mélange étonnant d'histoire et de contes. La

L'Antiquité et la Renaissance ont fait de Rome un pôle majeur de l'art européen, nourrissant de son histoire et de ses modèles toute une imagerie – jusqu'au cinéma.

Renaissance s'intéresse plus à l'Antiquité. Ses œuvres s'inspirent de l'architecture romaine et de la sculpture grecque, dont Rome a gardé de nombreuses traces. Lorsque, après un siècle passé à Avignon, la papauté se réinstalle à Rome (1420), les meilleurs artistes de l'époque, venus de toute l'Italie, participent à un vaste plan de restauration de la ville. Ils aménagent le Vatican, y décorent la chapelle Sixtine, construisent des églises et des palais, percent des rues... La Réforme protestante (XVIe siècle) fait perdre à Rome son rôle de centre de l'Occident, mais l'art baroque suscité par la Contre-Réforme catholique ajoute à sa splendeur.

La ville où saint Pierre apporta le message du Christ se devait, après le retour des papes d'Avignon, de redevenir pour la papauté un siège à la mesure de l'emprise que l'Eglise romaine revendiquait sur le monde.

Le voyage à Rome

Si la Renaissance trouve son origine à Florence, elle s'épanouit à Rome, où les fresques de Michel-Ange et de Raphaël au Vatican en sont l'éclatante illustration. Rome devenue capitale artistique de l'Occident, les artistes affluent de partout : Simon Vouet, futur peintre officiel du roi de France Louis XIII, Vélasquez, envoyé par le roi d'Espagne, les allemands Overbeck et Cornelius, l'anglais Turner... Souvent leur carrière débute à Rome. Certains, tels les Français Nicolas Poussin ou Claude Lorrain, l'adoptent même comme une seconde patrie. Dès 1666, le séjour en Italie est institutionnalisé par la création de l'Académie de France à Rome, dans les murs de la villa Médicis, où les artistes les plus prometteurs sont pensionnés par le roi – elle accueille aujourd'hui encore les lauréats du prix de Rome.

En 1508, le peintre Raphaël quitte précipitamment Florence pour Rome, à l'invitation du pape, qui lui fait décorer ses appartements. Il travaille aussi pour un autre grand mécène, le banquier Chigi, dans la villa duquel il exécute cette fresque du Triomphe de Galatée.

Des artistes...

Cette nouvelle Rome éveille bientôt la curiosité des peintres et architectes de toute l'Europe, qui y viennent étudier les œuvres de leurs prédécesseurs. Mais alors que les guides s'agrémentent de plans et de gravures, la plupart des voyageurs, de Montaigne à Goethe, continuent de s'intéresser à la ville antique et aux premières églises de la chrétienté. Ils ne voient que ce que leur proposent les guides – en est-il autrement aujourd'hui ? Au milieu du XVIIIe siècle, il n'y a jamais eu à Rome autant d'étrangers, entraînés par la mode de l'archéologie et le romantisme naissant.

Rome n'est pas seulement une ville musée, pleine de monuments et d'œuvres d'art. Elle vit. Dans ses quartiers, animés ou tranquilles, ses maisons colorées, ses jardins...

Après les artistes, Rome voit arriver les "antiquaires": ce sont les premiers archéologues (le terme ne désigne pas encore les marchands d'art). Beaucoup viennent d'Allemagne et d'Angleterre. Ils exhument des monuments ou des fragments, établissent des classifications et des recueils d'observations, cherchant à reconstituer la vie des siècles passés.

... aux touristes

A l'aube du XIXe siècle, le renouveau architectural s'épuise. Rome, véritable conservatoire de l'Antiquité et des arts, attire une bourgeoisie aisée, européenne ou nord-américaine, en quête de racines culturelles. De nos jours, plusieurs millions de visiteurs se rendent chaque année à Rome. Venus en pèlerins, en touristes ou simplement pour goûter à *la dolce vita*, ils en repartent rarement déçus.

Une audience chez Agrippa. Ce général romain, qui fut l'un des préférés de l'empereur Auguste, fit élever les premiers grands thermes publics de Rome et le Panthéon.

Le nom même de Rome évoque un formidable passé : une histoire de plus de mille ans, qui a vu la petite cité née d'une légende devenir le centre d'un immense empire.

Triomphe d'un général romain.

La Rome antique

Qui n'a en tête l'image de ces légions romaines parties de Rome à la conquête du monde, étendards déployés ? Sur leurs bannières, comme sur maints bâtiments encore présents aujourd'hui dans la ville, quatre lettres : S P Q R *Senatus PopulusQue Romanus*, "le Sénat et le peuple romain". Mais si la souveraineté romaine a fini par s'étendre tout autour de la Méditerranée et au-delà, jusqu'à l'Espagne ou l'Ecosse et aux confins du Moyen-Orient, Rome ne s'est pas faite en un jour. Invitation à un voyage dans le temps...

Le berger Faustulus découvre Romulus et Rémus, les jumeaux abandonnés.

La célèbre statue de la louve du Capitole, aujourd'hui conservée au musée du Capitole, date du VIe siècle avant notre ère (les statues de Romulus et Rémus ont été ajoutées à la Renaissance). La louve, animal sacré qui évoque Mars, le dieu de la Guerre, est devenue le symbole de Rome.

Deux légendes racontent l'origine de Rome. Selon l'une, le héros grec Enée, échappé de la ville de Troie réduite en cendres, se serait installé près de la future Rome. L'autre évoque la création effective de Rome, quatre siècles plus tard, en l'an 753 avant notre ère. Dans la ville Albe la Longue, fondée par le fils d'Enée, le frère du roi Numitor a usurpé le trône. La fille de Numitor, fécondée par le dieu Mars, met au monde les jumeaux Romulus et Rémus. Pour s'en débarrasser, l'usurpateur les abandonne au Tibre en crue dans un panier. Lorsque le berceau finit par s'échouer au pied du mont Palatin – l'une des sept collines de Rome –, une louve recueille les

Les Sabines, entre leurs pères sabins et leurs maris romains (tableau de David, 1799).

La fondation de Rome

nouveau-nés jusqu'à ce qu'un berger les découvre et les élève. Adultes, les deux frères décident de fonder, à l'endroit même où la louve les sauva, une cité. Mais ils se disputent l'honneur de lui donner un nom, et Romulus tue son frère, puis trace le sillon marquant l'enceinte sacrée de la future ville. Quel crédit accorder à ces récits mythiques, qui se sont élaborés au fil de la longue l'histoire de Rome ? Des vestiges archéologiques en confirment certains éléments, mais l'essentiel n'est-il pas que Rome soit née ?

Dans la Rome primitive, au VIIe siècle avant J.-C., les Horaces, trois frères romains, avaient fait le serment de vaincre les trois Curiaces, champions de la ville d'Albe la Longue. Ils triomphèrent, et le peuple des des vaincus est venu accroître la population romaine.
(Le serment des Horaces *tableau de David, 1784)*

Le temps des rois

Pour peupler la cité qu'il vient de fonder, le jeune roi Romulus veut donner des épouses à ses compagnons. Il fait enlever les femmes des Sabins, peuple voisin de Rome. La guerre qui s'ensuit ne prend fin qu'avec l'intervention des Sabines, qui, leurs enfants dans les bras, s'interposent sur le champ de bataille. La paix s'installe. Trois rois sabins élus par le peuple romain succèdent à Romulus. Puis trois rois d'origine étrusque. Sous l'influence de ce peuple venu de Toscane (vers 616 av. J.-C.), Rome se développe en une véritable ville. La royauté prend fin avec Tarquin le Superbe, dont le fils viole Lucrèce, une Romaine. Le suicide de la victime déclenche une révolte dirigée par Junius Brutus qui chasse les Tarquins de Rome. La République est proclamée (509 av. J.-C.).

Le Forum marque le début des grands travaux romains sous le règne de Tarquin l'Ancien. Ce premier roi étrusque de Rome fait aussi aménager les égouts (dont la Cloaca Maxima), bâtir le Grand Cirque et commencer la construction du temple de Jupiter sur le Capitole.

Avant de devenir un empire, Rome a été une république. Avec ce type de gouvernement, les Romains cherchent à empêcher que l'autorité se concentre sur une seule personne, tout en permettant un exercice efficace du pouvoir. La direction des affaires est confiée à deux consuls élus pour un an. En cas d'urgence, un magistrat suprême, ou dictateur, peut être nommé, mais seulement pour six mois. Cependant, les assemblées du peuple perdent rapidement leur importance. Le pouvoir réel est aux mains de quelques familles de nobles fortunés (les patriciens), dont les membres siègent au Sénat. Même les porte-parole du peuple (la plèbe) se recrutent parmi les patriciens.

Junius Brutus condamne à mort ses deux fils pour avoir comploté avec les Tarquins.

Une République puissante

Sous ce régime qui dure près de cinq siècles, Rome accroît sa puissance et s'engage dans une politique expansionniste. Elle soumet le Sud de la péninsule, affronte Carthage, sa rivale d'Afrique du Nord qui domine la Méditerranée occidentale, et se lance à la conquête de l'Est méditerranéen et de l'Europe de l'Ouest. Mais les richesse tirées de cette expansion créent de fortes inégalités entre les citoyens.

Le légendaire suicide de la vertueuse Lucrèce, suivi de l'éviction des Tarquins, dont le dernier roi s'était emparé du pouvoir et régnait par la force, est le mythe fondateur de la République romaine. Le nouveau régime se doit de protéger les citoyens contre toute volonté tyrannique.

Vers 310 av. J.-C., Rome est en partie assiégée. La colline du Capitole résiste plus longtemps, car les cris des oies ont donné l'alerte, déjouant une attaque nocturne.

Le général romain Scipion, dit l'Africain, vainc le Carthaginois Hannibal en 202 av. J.-C.

Une classe riche contrôle le commerce et les terres, qu'elle exploite avec de nombreux esclaves, alors que la plèbe – ouvriers, artisans, paysans – vit dans la précarité. Les réformes agraires échouent face à la résistance des aristocrates. La transformation des légions romaines en une armée professionnelle finira par porter au pouvoir des chefs militaires prestigieux comme Pompée, Crassus et Jules César, qui rivaliseront dans les derniers temps de la République pour s'emparer des rênes de l'Etat.

C'est sur la Via Appia (ci-contre) que Spartacus, chef des esclaves révoltés, finit crucifié pour s'être élevé contre Rome en 73-71 av. J.-C. Au plus fort de la révolte, les rebelles comptaient près de cent mille hommes. Pas moins de dix légions auront été nécessaires pour venir à bout des mutins.

Au Sénat. La république romaine a servi de modèle aux régimes politiques modernes.

Pompée, Crassus et César confisquent le pouvoir en 60 av. J.-C. et instaurent le triumvirat. Mais cette alliance ne dure guère...
Le consul Cicéron, orateur célèbre pour ses discours – il fait échouer un complot par sa seule éloquence –, prend le parti de Pompée puis se rallie à Jules César.

Jules César

Après la mort de Crassus, Jules César part en Gaule. En quelques mois à peine, il en fait la conquête. Le chef gaulois Vercingétorix se rend en 52 av. J.-C. A la tête de son armée, César se dirige alors sur Rome, où il anéantit les partisans de Pompée. Ce dernier, réfugié en Egypte, est assassiné. César, qui arrive sur les traces de son rival, reçoit les lauriers de vainqueur de la reine Cléopâtre. De retour à Rome, il réunit

César et sa femme Calpurnia.

A l'aide d'un astronome d'Alexandrie, Jules César réforma le calendrier romain, déjà solaire sous la République. Pour obtenir une concordance entre calendrier et saisons, il partit d'un cycle de 4 années, dont les trois premières contenaient 365 jours et la quatrième 366 jours. Il obtint ce jour supplémentaire en doublant le 24 février, le sixième jour avant les calendes (le premier jour) de mars. D'où l'expression française d'année bissextile. En Occident, ce calendrier dit "julien" fut remplacé en 1582 par le calendrier "grégorien", instauré par le pape Grégoire XIII et encore aujourd'hui en usage en Occident.

entre ses mains tous les pouvoirs et fait des réformes favorables aux pauvres. Tenté par la monarchie, il est assassiné en 44 par des sénateurs fidèles à la République. La guerre civile reprend. Octave, petit-neveu et fils adoptif de César, finit par l'emporter sur son rival principal, Marc Antoine qui se suicide avec son amante Cléopâtre. Octave, triomphant, rentre à Rome, où, sous le nom d'Auguste, il inaugure une période de paix et de stabilité.

Vaincu, le chef gaulois Vercingétorix dépose les armes au pied de César.

César est assassiné par son protégé Brutus, qui a rejoint la conjuration de sénateurs craignant qu'il mette fin à la république et restaure la monarchie à son profit.

L'Empire

L'empire qui vient de naître a tout d'une monarchie sauf le nom, qui est odieux aux Romains. Pour eux, les bons empereurs (Auguste, Trajan) sont ceux qui respectent les institutions, les “mauvais” (Caligula, Néron) ceux qui veulent régner en autocrate. La personne de l'empereur n'en devient pas moins l'objet d'un véritable culte. La littérature et les arts s'épanouissent.

Le destin de César avait appris à Octave à respecter le Sénat romain. Mais avec une grande habileté, il réunit en quelques années tant de pouvoirs entre ses mains qu'il devient le “premier” (princeps) *des Romains et reçoit le nom d'Auguste. Le terme d'empereur vient du mot* imperium *qui désigne le commandement suprême de l'armée.*

Sous le cruel empereur Néron, de nombreux chrétiens subissent le martyre.

La citoyenneté romaine finit par s'étendre à tous les peuples passés sous la domination de Rome. Les fonctionnaires impériaux et, plus tard, les empereurs eux-mêmes se recrutent de plus en plus parmi les élites des pays conquis. Si Rome imprègne de sa culture les pays occupés, elle en subit aussi les influences. Après son apogée, au début du IIIe siècle, l'Empire prend une orientation militaire face aux invasions barbares. Un si vaste empire est en effet bien difficile à défendre. Un siècle après que Constantin offre la liberté du culte aux chrétiens (313), les Wisigoths pillent Rome. Le dernier empereur romain d'Occident abdique en 476.

Pour mieux surveiller les frontières, l'empereur Constantin quitte Rome et crée une nouvelle capitale, Constantinople (l'ancienne Byzance) en 324-330. En 395, l'Empire se divise définitivement entre Occident et Orient. Après ce partage, Rome est souvent pillée par les Barbares. L'Empire romain d'Orient survit jusqu'en 1453, lorsque Constantinople tombe aux mains du sultan ottoman.

Néron (37-68) est resté dans l'histoire comme l'archétype du tyran sanguinaire frappé de mégalomanie. Pour renflouer les caisses de l'Empire, il intentait des procès aux

riches familles et confisquait leurs biens. Quand un gigantesque incendie ravagea Rome en 64, il tint les chrétiens pour responsables et en profita pour les persécuter.

En l'an 80, deux mille gladiateurs ont payé de leur vie l'inauguration du Colisée.

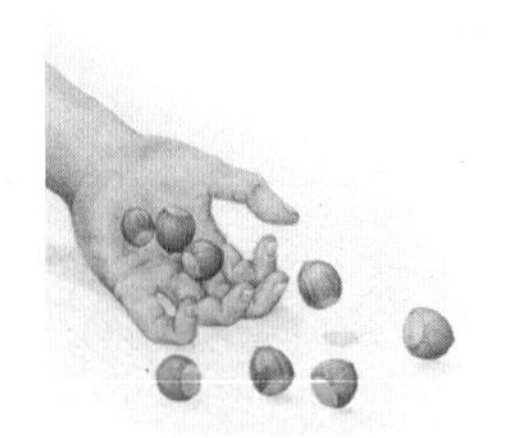

Les enfants d'aujourd'hui n'ont rien inventé. Dans la Rome antique, les enfants s'adonnaient déjà aux charmes du hochet, de la poupée articulée, de la toupie ou de colin-maillard. Billes, osselets ou jeux de dés n'avaient pas non plus de secrets pour eux.

"Du pain et des jeux"

Sous la République comme sous l'Empire, les Romains, quelle que soit leur classe sociale, sont passionnés de jeux. Après les jeux de l'enfance, course à pied et lancer du disque ou du javelot préparent les jeunes garçons à la guerre. Mais le terme de jeux (*ludi*) désigne surtout les nombreuses fêtes – plus de 75 par an au début de l'Empire –, organisées pour rendre hommage aux dieux, car Rome est païenne et honore quantité de divinités, pour la plupart héritées de la mythologie grecque. Ces célébrations s'accompagnent de processions, de représen-

On parquait les bêtes féroces sous l'arène.

tations théâtrales et... des jeux du cirque. Le cirque est en fait un hippodrome où ont lieu des courses de chars. Les attelages légers qui entrent facilement en collision sont souvent à l'origine d'accidents mortels, ce qui n'enlève rien au succès du spectacle. Le poète Juvénal se plaint même que les Romains se désintéressent de la patrie au profit de ces divertissements. Mais tant que le peuple s'amuse et a le ventre plein, il ne fait pas de politique !

Pour les Romains, contrairement à une idée répandue, les combats à mort entre gladiateurs ne faisaient pas partie des "jeux" (ludi), *mais des... "devoirs"* (munera). *A l'origine, le sacrifice de ces hommes donnés en spectacle était en effet organisé en privé lors de funérailles. Ces combats finirent cependant par acquérir un caractère officiel et public, se déroulant alors dans des amphithéâtres comme le Colisée. Aux gladiateurs professionnels, formés dans des écoles spécialisées, s'ajoutaient des prisonniers de guerre et des condamnés à mort.*

Le sombre couloir sous les gradins qui conduisait à l'arène...

Les temples du Forum romain sont bâtis sur le modèle grec.

Au début fortement marqué par l'art grec, l'art romain se forge peu à peu sa propre identité, notamment à des fins de propagande. Peintures, sculptures et bas-reliefs exaltent les valeurs de la société, célèbrent les hauts personnages de l'Etat ou glorifient les exploits de ses légions.

De grands bâtisseurs

Y a-t-il un art romain ? Même Cicéron en doutait. Il est vrai que sculpture et peinture s'inspirent directement des modèles grecs et que les œuvres sont souvent exécutées par des artistes venus des diverses provinces du monde romain. Le véritable art romain est "utilitaire", et son "auteur" est d'abord l'homme politique : qu'il soit commanditaire ou artiste lui-même, comme Néron, seul son nom apparaît sur les monuments et prééminence est donnée à l'architecture – temples, lieux d'assemblée, arcs de triomphe, ponts, viaducs, aqueducs, villas, thermes…

Les thermes de Caracalla pouvaient accueillir plus d'un millier de "baigneurs".

Tous aux bains

Motifs géométriques ou représentations mythologiques, les mosaïques décoraient magistralement le sol des thermes.

Les bains occupent une grande place dans la vie des Romains : chacun se rend souvent aux thermes. Et pas seulement pour faire salon. Au programme, des exercices physiques – poids et haltères, course, jeux de balle – pour se préparer aux bains. Bain de vapeur, bain chaud, tiède puis froid sont les étapes obligées de l'après-midi, qu'achève une longue promenade. Le but ? Un esprit sain dans un corps sain.

Les bains étaient alimentés en eau des campagnes voisines par des aqueducs de plusieurs kilomètres.

La majorité des jeunes Romains allait à l'école primaire. Les enfants des riches poursuivaient leur scolarité avec un précepteur.

Vies romaines

Au cours du millénaire qui voit Rome étendre sa puissance, les inégalités entre citoyens se creusent. L'aristocatie fortunée exerce des fonctions politiques. Une demi-noblesse de chevaliers fournit des officiers à l'armée. La plèbe des villes, appauvrie, entassée dans des immeubles sans eau et sans chauffage, exerce des petits métiers, quand elle n'est pas réduite à compter sur la générosité de l'Etat. Quant aux esclaves – 400 000 pour

Sous l'Empire, la mode féminine est au chignon, avec une mèche de cheveux roulée en bourrelet barrant le front. Une servante, ou ornatrix, *s'occupe de la coiffure, de l'épilation et du maquillage de sa maîtresse.*

Les esclaves divertissaient aussi leur maître.

plus d'un million d'habitants dans la seule ville de Rome en 100 av. J.-C. –, leur sort dépend du statut de leur maître. Tout distingue en effet un serviteur de l'empereur de l'esclave d'un petit artisan, d'un gladiateur ou d'une prostituée. Et lorsqu'ils ont la chance d'être affranchis, ils doivent souvent se consacrer à des activités méprisées ou jugées serviles, dont le commerce.

Chez les Romains fortunés, en dehors des fastueux banquets organisés pour les grandes occasions, le repas est généralement composé d'œufs (un régal pour les Romains), de viande en sauce ou de poisson. Des légumes complètent le tout. Les fruits sont réservés au dessert. Le vin est la boisson d'accompagnement. L'ordinaire des pauvres est nettement moins alléchant. Dans les villes, ils doivent se contenter d'une épaisse bouillie, à base de céréales. Dans la campagne romaine, ils sont mieux lotis : fromage, légumes, et parfois même du porc.

Vastes et remarquablement agencées, les maisons des riches Romains sont très confortables et souvent luxueusement décorées.

Les statues de Castor (ci-dessus) et Pollux, jumeaux de la légende grecque, montent la garde en haut de l'escalier qui mène de la place de Venise à celle du Capitole.

Vestiges d'une civilisation qui a profondément marqué l'Occident, les ruines grandioses qui se dressent encore en plein cœur de la ville rappellent le pouvoir de la Rome ancienne.

La place du Capitole.

Le Capitole et le Forum

La place du Capitole vue du palais du Sénat. A gauche, le palais des Conservateurs, à droite, le palais Neuf.

Là où se dressait, depuis le début de la République, au VIe siècle avant notre ère, le temple de Jupiter, sanctuaire majeur de la Rome antique, les consuls prêtaient jadis serment et les généraux célébraient leurs victoires. Au Moyen Age, le nouveau Sénat romain y installe aussi son siège. De nos jours encore, le conseil municipal de la ville se réunit au palais du Sénat. Neuf ans après la mise à sac de Rome par l'empereur germanique

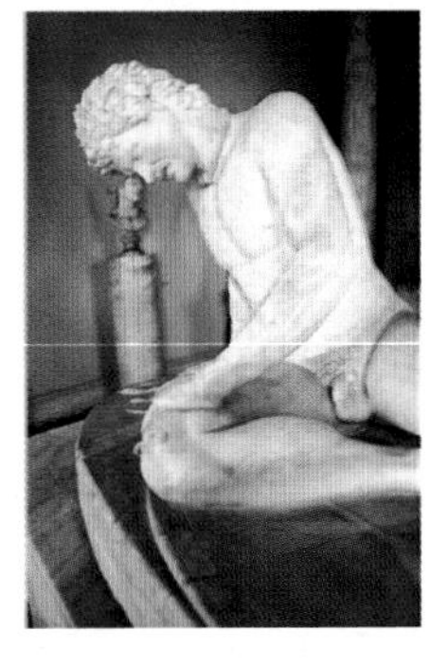

Ci-dessus : la Cordonata, l'escalier en pente douce qui mène à la place du Capitole.

Ci-contre : Le Gaulois mourant, *sculpture du IIIe siècle avant J.-C., d'inspiration grecque, se trouve aujourd'hui au musée Capitolin (palais Neuf).*

Dans la cour du palais Neuf, la statue d'Océan.

Le Capitole, siège du pouvoir

Charles Quint en 1527, le pape confie la restauration de la colline du Capitole, abandonnée depuis, à un Michel-Ange vieillissant. L'artiste propose la construction du palais Neuf qui bornera, avec les deux autres édifices, cette place en forme de trapèze. Ornée de statues antiques découvertes dans la ville, la place était organisée autour d'une statue équestre de l'empereur Marc Aurèle, enlevée il y a quelques années. Michel-Ange ne verra réalisé de son vivant que le double escalier du palais du Sénat, car les travaux ne seront achevés qu'un siècle plus tard.

La niche du double escalier du palais du Sénat abrite une statue de "Rome triomphante". Le regard tourné vers la basilique Saint-Pierre, la déesse tient en main une sphère, symbole de la domination de Rome sur le monde.

Le très théâtral monument à Victor-Emmanuel II se laisse admirer depuis les jardins.

Surnommé "machine à écrire" par ses détracteurs, le monument blanc et pompeux dédié au premier roi de l'Italie unifiée, tranche avec les bâtiments alentour. Achevé en 1911, il est surmonté de deux quadriges qui symbolisent la Liberté et l'Unité italienne.

La cité antique

En contrebas de l'extravagant monument dédié à la mémoire du roi Victor-Emmanuel II s'étendent les ruines du cœur antique de la ville. Ancienne zone marécageuse, le Forum devient dès le VIIe siècle avant notre ère le lieu où les citoyens romains se réunissent pour traiter d'affaires politiques, judiciaires et économiques. Le dramaturge Plaute le décrit vers l'an 200 comme grouillant

Le marché de Trajan comptait 150 boutiques.

Ci-dessus : Domus Augustana, la résidence privée de l'empereur. Après que Auguste a décidé de s'installer sur le Palatin, tous ses successeurs firent de même.

Pour célébrer ses campagnes contre les Daces, l'empereur Trajan fit construire une colonne de 40 mètres de hauteur. Deux mille personnages sculptés dans le marbre racontent cette guerre, avec une précision que, paradoxalement, personne ne peut voir.

« d'avocats et de plaideurs, de prêteurs et de marchands, de boutiquiers et de prostituées, de bons à rien guettant l'aumône d'un riche ». Les bâtiments caractéristiques du Forum sont en effet les marchés et les basiliques – qui, en ces temps païens, abritaient négociants, banquiers et magistrats –, mais aussi la Curie et les tribunes (les Rostres), lieux de réunion du Sénat et du peuple romain, ainsi que de nombreux temples.

La statue de Trajan qui surmontait la colonne fut remplacée au XVIe siècle par celle de saint Pierre.

Temple d'Antonin et Faustine. L'empereur Antonin dédia ce temple à la mémoire de sa femme Faustine, en 141. Au XIe siècle, le temple a été transformé en église.

L'arc de Constantin, à côté du Colisée, date de 315.

L'espace se faisant rare, Jules César et cinq empereurs, d'Auguste à Trajan, créent, dans le prolongement, les forums impériaux. De nombreux empereurs y ont fait construire des arcs de triomphe ou des colonnes, destinés à perpétuer leur gloire. Pendant l'Empire, le Forum eut un tel succès que la plupart des villes des provinces romaines tenaient à en posséder un, l'adaptant aux besoins locaux. En France, on a même trouvé des forums en pleine campagne à l'usage des paysans gaulois.

A l'intérieur de Santa Francesca Romana (ci-dessus) se trouvent deux pierres, sur lesquelles les apôtres Pierre et Paul auraient prié alors que Simon le Magicien s'efforçait de démontrer sa supériorité en volant au-dessus du Forum! Les prières furent entendues : le mécréant s'écrasa au sol.

Unique source de lumière, l'oculus, petite ouverture circulaire au sommet du dôme du Panthéon, permettait aussi peut-être aux prières de s'élever jusqu'aux dieux...

Lovée dans l'un des replis du Tibre, la vieille ville se laisse dominer par l'imposante coupole du temple le mieux conservé de Rome et exhibe les églises d'un art baroque triomphant.

Au-delà des monuments, les ruelles...

Autour du Panthéon

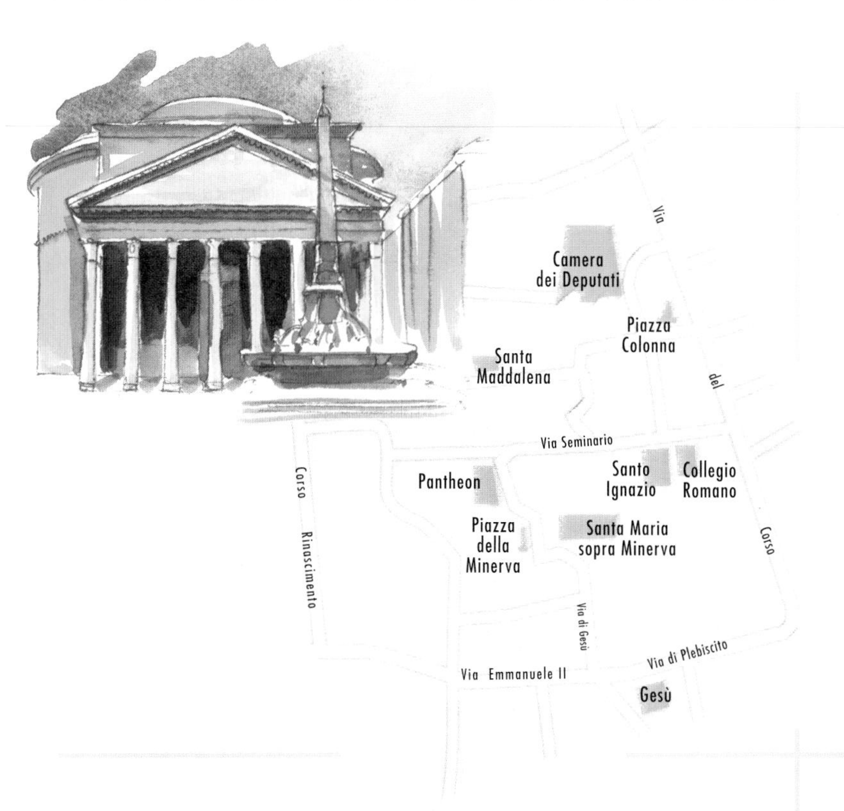

Les colonnes du Panthéon. Ce terme, qui vient du grec pan, *"tout", et* theos, *"dieu", indique bien la destination originelle de l'édifice : un temple dédié à tous les dieux.*

Veillant sur un quartier où sont présentes toutes les "couches" de l'histoire de Rome, le Panthéon montre lui-même l'exemple. L'immense rotonde édifiée sous le règne d'Hadrien (vers 120) sur le site du temple d'Agrippa (vers 27) fut transformée en 609 en l'église Sainte-Marie-des-Martyrs. Pendant l'exil des papes à Avignon, elle sert même un temps de marché aux volailles ! Le pape Urbain VIII (1623-1644) fit

En 1883, deux clochetons qui avaient été ajoutés par le Bernin, grand architecte et sculpteur du baroque, furent supprimés. A cette occasion, la façade a retrouvé toute son allure, avec un portique de seize colonnes taillées chacune dans un seul bloc de granit.

Installé en 1711, l'obélisque du Panthéon, dont l'origine remonte à l'époque du pharaon Ramsès II, fut découvert en 1374 dans les ruines du Champ de Mars à Rome.

Les hommes en costume ne sont pas rares autour du Panthéon : la Bourse n'est qu'à deux ou trois cents mètres, dans une ancienne maison des douanes papales de la fin du XVIIe siècle.

Les rues étroites et encaissées du quartier invitent à d'agréables balades. Dans l'une de ces ruelles, à la Tazza d'Oro *("la Tasse d'or"), on sert l'un des meilleurs espressos de la capitale italienne.*

Ombre et lumière à l'intérieur du Panthéon.

frapper les chapiteaux des colonnes des emblèmes de sa famille, les Barberini, et fondre les plaques de bronze de la toiture du porche pour le baldaquin de Saint-Pierre – ce qui lui a valu la célèbre épigramme satirique : « Ce que les Barbares ne firent pas, les Barberini le firent. » La pièce maîtresse de cet ensemble de carrés, cylindres et sphères en excellent état de conservation est la coupole. Son diamètre intérieur de 43,40 mètres en

La petite fontaine della Scrofa (c'est-à-dire "de la truie") doit son existence à la remise en état des aqueducs romains par les papes du XVIe siècle.

La plus grande coupole du monde

fait la plus grande voûte en maçonnerie du monde – celle de Saint-Pierre n'est que de 42 mètres. C'est dire la maîtrise technique que les Romains avaient développée il y a deux mille ans ! Si les artistes postérieurs n'ont pas su égaler cet exploit, ils ont néanmoins laissé leurs traces dans ce quartier où tous les styles, du gothique au baroque, cohabitent.

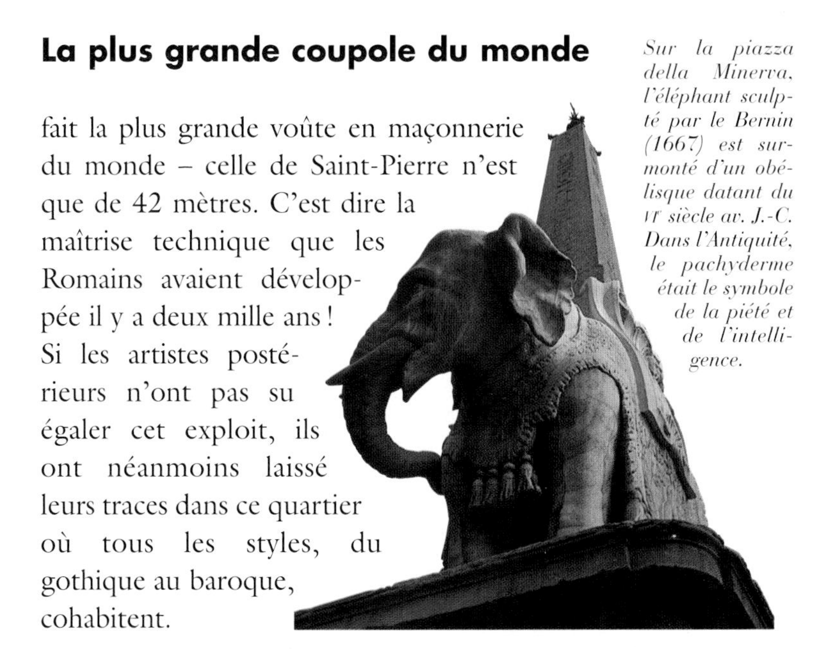

Sur la piazza della Minerva, l'éléphant sculpté par le Bernin (1667) est surmonté d'un obélisque datant du VIe siècle av. J.-C. Dans l'Antiquité, le pachyderme était le symbole de la piété et de l'intelligence.

Colonnes torsadées et sculpture "en mouvement" sont parmi les caractéristiques de l'art baroque, dont les maîtres romains sont le Bernin et Borromini.

Le triomphe du baroque

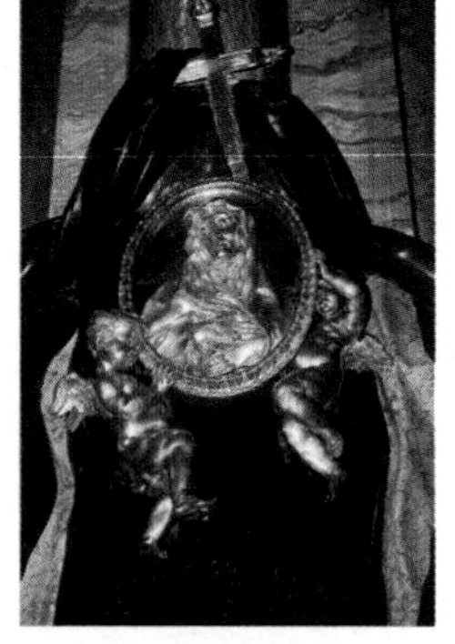

L'intérieur de Santa Maria Maddalena a été couvert d'ornements du sol jusqu'au faîte de son élégante coupole par les décorateurs des XVIIe et XVIIIe siècles. Des statues représentant des vertus telles l'humilité ou la simplicité y illustrent les thèmes valorisés après la Réforme.

Bouleversée par la Réforme protestante, l'Eglise catholique retrouve au XVIIe siècle une partie de sa puissance. Il n'est donc guère étonnant que sa capitale donne naissance à un nouvel art qu'en France à l'époque on appelait "à la romaine" et qui reçut bien plus tard le nom de baroque. Comment le définir ? A en juger par ses résultats, il veut séduire et frapper, impressionner et convaincre les fidèles.

La façade incurvée de l'église de la Maddalena (1739) marque la fin du baroque.

Dans l'architecture des églises, ce goût pour le spectaculaire – l'opéra, d'ailleurs, naît au même moment – se traduit par l'invention de nouvelles formes : façades ondulantes, volumes en saillie, puissantes corniches… Tout semble en mouvement. Le retour à la nef unique permet d'accueillir les nombreux fidèles et de faire résonner sermons et musique. Le riche décor en fait un art somptueux, symbole de la puissance catholique. Le culte des saints et de la Vierge, réaffirmé par la Contre-Réforme, est véhiculé par une sculpture extrêmement expressive, qui s'appuie sur les études anatomiques minutieuses que l'on menait à l'époque.

Edifiée sur un ancien temple de Minerve, Santa Maria sopra Minerva, seule église gothique de Rome, a perdu son cachet, après avoir été enrichie de décors au XVIIe puis au XIXe siècle. Elle est devenue un véritable musée de l'art funéraire.

C'est Michel-Ange qui sculpta le Christ dans Santa Maria sopra Minerva.

Jésuites...

La plus représentative des églises que les jésuites ont dédiées au saint nom de Jésus est celle du Gesù. Dans la nef rectangulaire, rien ne fait obstacle au regard du fidèle qui assiste à la messe. Le décor intérieur, d'abord assez limité, est enrichi au XVIe siècle de fresques du Baciccia mettant en scène *Le Triomphe du Nom de Jésus.* L'autel est le chef-d'œuvre d'Andrea Pozzo (1642-1709), qui a aussi peint

Moins austère que celui du Gesù, l'intérieur de Saint-Ignace est orné de marbres et de dorures. Les fresques du chœur, de la voûte et du transept ont été peintes par le virtuose de la perspective, le peintre et architecte Andrea Pozzo.

Le Triomphe de saint Ignace *d'Andrea Pozzo orne la voûte de la nef centrale de l'église Saint-Ignace. Les murs semblent se diriger tout droit vers le paradis. La voûte semble crevée et laisse entrevoir le ciel.*

... et trompe-l'œil

la voûte de Saint-Ignace, la deuxième grande église jésuite de Rome, elle aussi dans le quartier du Panthéon. Des difficultés financières et techniques ainsi qu'un conflit avec les dominicains voisins de Santa Maria sopra Minerva avaient amené les jésuites à renoncer à l'édification d'une coupole. Pozzo la peignit donc... en trompe-l'œil, sur une toile plane à la croisée du transept. Un disque blanc sur le sol indique le lieu où l'on doit se placer pour que le regard embrasse la perspective de cette "fausse" coupole et la fresque qui orne la voûte de la nef centrale.

Ignace de Loyola

Blessé au siège de Pampelune, le gentilhomme basque Ignace de Loyola (1491-1556) se convertit pendant sa longue convalescence à une vie plus chrétienne. Il vit en ermite, fait un pèlerinage à Jérusalem et fréquente les universités d'Alcalá, de Salamanque et de Paris. Dans la capitale française, lui et quelques amis font vœu de chasteté et de pauvreté, avant d'être ordonnés prêtres à Venise. Ils décident de se mettre à la disposition du pape. En 1540, Paul III accepte la fondation de la Compagnie de Jésus, dont Ignace sera élu le "général" l'année suivante. Corps d'élite fondé en réponse au mouvement protestant de Luther et de Zwingli, l'ordre jésuite se consacrera à en premier lieu à l'apostolat – surtout en Chine et au Paraguay – et à l'enseignement.

Des fontaines, un obélisque et la façade baroque de l'église Sant'Agnese in Agone témoignent, sur la place Navone, des changements d'urbanisme aux XVe et XVIe siècles.

Piazza Navona, di Spagna, del Popolo, della Repubblica, Campo de'Fiori... La Rome d'aujourd'hui ne se laisse pas intimider par son passé et s'anime autour de ses superbes fontaines.

Autour de la fontaine de Trevi.

Les grandes places de Rome

Grâce à un système complexe de canalisations, la place Navone, dont le fond était concave, servait jadis de théâtre à de grands spectacles navals, les naumachies.

Navona

La restauration de la ville après le retour des papes s'accompagne d'une politique d'urbanisme qui a pour but de faciliter la circulation en ville et surtout l'accès au Vatican. De grandes artères relient désormais les principales places qui sont réaménagées, telle la place Navone, la plus animée d'entre elles. Le Bernin y crée la fontaine des Quatre-Fleuves (1651) surmontée d'un obélisque,

Ci-dessus : la fontaine du Maure fut construite par Giacomo della Porta. Le Bernin l'embellit et ajouta une sculpture de Giovan Antonio Mari, représentant un triton aux prises avec un dauphin. Le nom de la fontaine est probablement dû aux traits du visage de ce fils de Neptune.

Les statues de ce véritable musée à ciel ouvert qu'est Rome sont menacées par deux grands dangers : la pollution automobile et la fiente de pigeon.

La statue de Neptune, sur la fontaine du même nom, fut ajoutée en 1873; la fontaine, elle, date du XVIe siècle. Le dieu de la mer y lutte contre une pieuvre.

Pour le grand bonheur des enfants romains, la tradition des joutes aquatiques s'est perpétuée jusqu'au milieu du XIXe siècle. On bouchait alors les évacuations des fontaines sur la place.

et Borromini donne à Sant'Agnese in Agone une nouvelle façade concave. Car Innocent X veut une place digne de sa famille qui y habite. Occupant la piste du premier stade de Rome, la place avait accueilli au Moyen Age courses de chevaux et naumachies, puis un marché. De nos jours, musiciens et marchands de souvenirs en été, et une foire aux jouets à la veille de Noël rappellent dans une ambiance de fête foraine ce passé lointain.

Les ruelles étroites du quartier tranchent avec la vaste place Navone.

PIAZZA R.VI
NAVONA

Autour de la place Navone, des échoppes d'un autre âge voisinent avec des boutiques plus modernes, comme cet atelier de réparation de scooters.

L'église baroque Sant'Andrea della Valle.

Dans ce quartier, les étrangers sont représentés par Santa Maria dell'Anima, l'église allemande de Rome où repose Hadrien IV (1522-1523), le dernier pape non italien avant Jean-Paul II, et par Saint-Louis-des-Français, édifiée sous François Ier sur un terrain acquis par la petite colonie française établie à Rome. L'une des chapelles de cette église abrite trois tableaux du Caravage (1573-1610) : *La Vocation de saint Mathieu*, *Le*

Les détails de la vie quotidienne ajoutent au charme de la cité.

La Vocation de saint Mathieu *du Caravage, dans l'église Saint-Louis-des-Français. Le "caravagisme" a fortement influencé l'Espagnol Ribera, installé à Naples, et même Vélasquez à ses débuts à Séville, ainsi que les Français Georges de La Tour ou les frères Le Nain, et bien des peintres hollandais du XVIIe siècle.*

Martyre de saint Mathieu et *Saint Mathieu et l'Ange*, qui précèdent la "révolution de la lumière" de ce maître du clair-obscur. Rompant avec la tradition, le peintre représente les acteurs de l'histoire sainte avec des têtes de paysans ou de vauriens de son époque. Ce "naturalisme" fait scandale, et l'artiste doit retoucher le dernier tableau. Il avait souhaité montrer un saint Mathieu aux pieds sales !

La chapelle de Saint-Yves dans la cour de la Sapienza, l'ancienne université de Rome, est un chef-d'œuvre du baroque romain dû à Borromini. L'intérieur reçoit sa lumière de la lanterne de la chapelle, qui est couronnée d'une spirale évoquant la tour de Babel.

Le Campo dei Fiori n'est plus, malgré son nom, un "champ de fleurs", mais le plus beau marché de produits frais (poissons, fruits et légumes) de Rome.

Sur la place trône la statue de Giordano Bruno, inaugurée en 1889. Ce philosophe fut brûlé vif pendant l'Inquisition, en 1600, pour avoir défendu l'idée de l'infinité de l'univers et de la pluralité des mondes.

Campo dei Fiori

Le Campo dei Fiori, qui a été longtemps le quartier des auberges, a conservé un peu de son caractère impertinent. Rien d'étonnant quand on sait qu'il vit naître et grandir au XVe siècle des personnages aussi hauts en couleur que Lucrèce et César Borgia, fruits des amours du pape Alexandre VI. La jeune Lucrèce servit, par ses mariages successifs, les desseins politiques de son père. César, nommé cardinal à seize ans puis défroqué, commença une carrière politique marquée par la traîtrise et la terreur, qui servit de modèle, idéalisé, au *Prince* de Machiavel.

Lieu de rencontre aujourd'hui paisible, la statue de Bruno suscita, lors de son inauguration, de violents affrontements entre républicains et partisans du pape.

De part et d'autre de l'obélisque, Castor et Pollux retiennent leurs chevaux de pierre devant le palais du Quirinal (à gauche).

Le Quirinal

Le réemploi de monuments antiques hétérogènes – copies romaines de sculptures grecques, obélisque égyptien provenant du mausolée d'Auguste – caractérise l'aménagement de la place du Quirinal, entrepris dès le XVIe siècle. De cette époque date le palais du même nom, qui fut jadis résidence d'été des papes, puis palais royal, avant d'accueillir le chef d'Etat de l'Italie moderne.

Héros mythiques de la Grèce antique, les fils jumeaux du dieu Zeus, Castor et Pollux, ont été "adoptés" par Rome : lorsque l'ordre équestre romain introduit Castor le Chevalier dans la ville pour en faire son dieu, Pollux le Pugiliste obtient aussi droit de cité. A leur mort, les inséparables jumeaux formèrent la constellation des Gémeaux.

La balustrade fermant la place du côté de la ville remonte à la fin du XIXe siècle, lorsque les rois d'Italie résidaient au palais du Quirinal.

Le Quirinal est la résidence officielle du président de la République depuis 1946. Les saints Pierre et Paul surplombent le portail d'entrée, dessiné par Carlo Maderno.

Adossée au palais Poli, la fontaine de Trevi est un véritable trésor.

Trevi, la fontaine prometteuse

A deux pas du Quirinal se situe une autre place, ornée de la fontaine la plus éblouissante de Rome, celle de Trevi. Au centre, deux tritons guident les chevaux marins – l'un rebelle, l'autre docile –, qui tirent le char de Neptune; les animaux représentent les humeurs changeantes d'Océan. Si la fontaine ne date que de la première moitié du XVIIIe siècle, elle n'en est pas moins une des plus populaires. La tradition veut que pour s'assurer de revenir dans la ville éternelle, les étrangers jettent, dos tourné, par-dessus leur épaule, une pièce de monnaie dans le bassin.

La fontaine de Trevi devint célèbre dans le monde entier grâce à une scène du film La Dolce Vita *de Fellini, où Anita Ekberg n'hésite pas à entrer dans l'eau en robe du soir... Imiter l'actrice est bien sûr interdit, et le visiteur se contentera d'y jeter une pièce de monnaie.*

La fontaine des Naïades met en scène un cheval marin pour l'océan, un cygne pour les lacs, un serpent pour les fleuves et une sorte d'iguane pour les rivières souterraines.

Place de la République

La place a été rénovée au tournant du XXe siècle, mais elle a gardé la forme qu'elle doit aux thermes de Dioclétien, dont la grande exèdre (une salle de conversation garnie de sièges) était en demi-cercle. Couchées sur quatre créatures aquatiques, les nymphes dénudées au centre de la fontaine provoquèrent un scandale lorsque les statues furent dévoilées en 1901 devant une foule de badauds.

Après l'inauguration de la fontaine, les esprits d'abord choqués par les poses des statues illustrant les différentes formes prises par l'eau se calmèrent, et seul le groupe central fut remplacé en 1911 par une sculpture du dieu marin Glaucos.

Le néoclassicisme de la place de la République est plutôt rare dans cette ville marquée par des styles plus anciens comme celui des façades de la place d'Espagne.

Les marches du célèbre escalier devant l'église de la Trinité-des-Monts sont un des lieux les plus animés de Rome.

Fondée par les Français en 1495, la Trinité-des-Monts domine la place d'Espagne.

Place d'Espagne

De jour comme de nuit, la place d'Espagne avec son majesteux escalier attire une foule de touristes bruyants et de Romains au "look" savamment étudié. Composée de deux places triangulaires qui se rejoignent par la pointe, elle tient son nom du palais d'Espagne, siège de la première ambassade fixe près le Saint-Siège depuis le XVIIe siècle. Des incidents violents entre Espagnols et Français installés ici

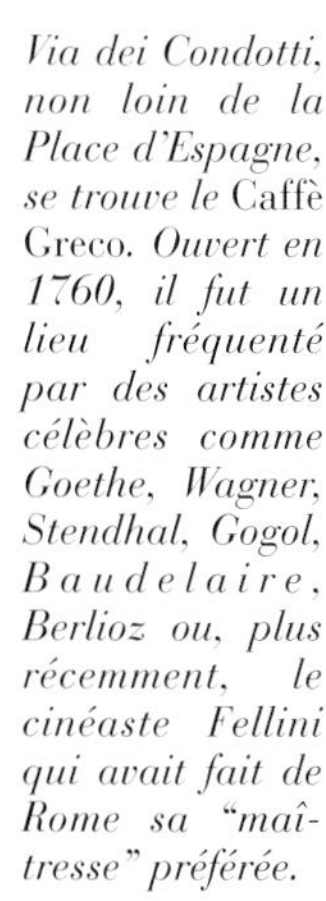

Via dei Condotti, non loin de la Place d'Espagne, se trouve le Caffè Greco. *Ouvert en 1760, il fut un lieu fréquenté par des artistes célèbres comme Goethe, Wagner, Stendhal, Gogol, Baudelaire, Berlioz ou, plus récemment, le cinéaste Fellini qui avait fait de Rome sa "maîtresse" préférée.*

Façades sur la place d'Espagne : au fond, la colonne de l'Immaculée Conception.

Des étrangers à Rome

secouèrent alors ce quartier. Après la construction de l'escalier (1723-1726), ces rivalités cessèrent, et la place devint un lieu de rendez-vous pour de riches oisifs en quête d'aventures ou de souvenirs antiques. Les nombreux hôtels et cafés du quartier ont accueilli des artistes venus de toute l'Europe. Parmi eux, le jeune poète anglais Keats qui, en 1820, s'était installé, en compagnie d'un

Même si la capitale de la haute couture italienne est plutôt Milan, tout créateur de mode qui se respecte se doit d'ouvrir un magasin dans la via dei Condotti, près de la place d'Espagne.

Un des escaliers latéraux, place d'Espagne.

ami dans la Casina Rossa (aujourd'hui devenue le musée Keats-Shelley), pour soigner sa tuberculose. Avant de mourir douze mois plus tard à l'âge de vingt-cinq ans, il demanda, amer de savoir sa fin précoce, que sur sa tombe on écrivit : « Ci-gît un homme dont le nom fut écrit sur l'eau. » Son aîné Shelley, profondément affecté par sa mort, lui adressait alors la plus grandiose élégie jamais écrite par un poète à un autre : *Adonaïs.*

A deux pas de la place d'Espagne se situe la villa Médicis. Avant de devenir le siège de l'Académie de France à Rome (1666), elle avait déjà accueilli un grand artiste, l'Espagnol Vélasquez, qui y séjourna en 1630 et en 1649-1651 : une première fois pour parfaire son éducation artistique et la seconde en vue d'acquérir pour le compte du roi d'Espagne des œuvres d'art antiques et modernes. Heureusement, il trouva aussi le temps de peindre, notamment un saisissant portrait du pape, et c'est dans les jardins de la villa qu'il exécuta deux petits tableaux "impressionnistes" avant l'heure.

La colonne de l'Immaculée Conception est surmontée d'une statue de la Vierge inaugurée en 1857. Tous les ans, au matin du 8 décembre, les pompiers escaladent une grande échelle pour la parer d'une guirlande de fleurs.

Erigé en 1589 par Domenico Fontana, l'obélisque de Ramsès II avait été rapporté par Auguste de Héliopolis, en Egypte, pour décorer le Grand Cirque de Rome.

Ombragées de pins parasols, de chênes verts et de palmiers, les allées du jardin du Pincio ont connu un grand succès dès leur ouverture au début du XIXᵉ siècle.

La place du Peuple

Occupant un emplacement plus exigu, l'église Santa Maria di Montesanto n'est que faussement jumelle de celle de Santa Maria dei Miracoli (voir page de gauche). Mais il fallait bien respecter la perspective symétrique de la place...

Sans y perdre en harmonie, la place du Peuple porte la trace d'époques et de styles bien différents. Les armoiries des papes Médicis de la Renaissance décorent la porte du Peuple. Sixte Quint fit ériger l'obélisque égyptien. Alexandre VII y fit travailler le Bernin... Tous, jusqu'à Giuseppe Valadier, le grand urbaniste du début du XIXᵉ siècle, contribuèrent à aménager ce vaste ovale, où débouchait jadis la via Flaminia qui, depuis 220 avant notre ère, reliait Rome à la côte Adriatique. Saurait-on mieux résumer l'histoire des grandes place de Rome ?

La place Santa Maria in Trastevere, de l'autre côté du Tibre, est le cœur d'un vieux quartier populaire, qui est aujourd'hui un des plus animés de Rome.

Entre ses palais, ses églises, ses œuvres d'art, ses grandes places, Rome vit et invite à la suivre – dans la cohue de ses rues commerçantes ou le calme de ses vieilles ruelles. Détours...

Laisser le regard choisir de s'égarer...

Dans les quartiers

A la variété architecturale de Rome répond le caractère bien différent de chacune de ses collines, à l'image de celui de ses habitants qui, selon qu'ils vivent dans tel ou tel quartier, affichent leurs spécificités. Le Trastevere se veut ainsi le plus romain de Rome, l'Aventin bourgeois et discret, l'Esquilin et le Latran populaires et catholiques, l'U.E.R. et Cinecittà, vestiges d'une certaine idée de l'Italie. Quant au Janicule, il hésite entre son image campagnarde et son héros, Garibaldi...

Les marchés de quartier sont nombreux à Rome. Ils résonnent des cris de leurs commerçants, qui sont passés maîtres dans l'art d'attirer le chaland.

On dit que les Romains ne sont pas tellement portés sur les desserts, tant les antipasti *("hors-d'œuvre") et les plats principaux sont succulents et se suffisent à eux-mêmes. Pourtant, les crèmes glacées, les célèbres* gelati, *ont de quoi séduire, surtout dans la chaleur de l'été romain.*

La légendaire Cinquecento (Fiat 500).

A l'écart des monuments et des grandes artères où la circulation rappelle parfois les courses de chars de *Ben Hur*, Rome offre un tout autre visage, ou plutôt bien d'autres visages. Pour les découvrir, il suffit simplement de se promener à travers ses vingt-deux quartiers, les *rioni*. Des rues et ruelles qui, dans la journée, ne manquent pas de charme, et, le soir venu, se font même un peu cinéma en plein air.

Les vicoli *("ruelles") du Trastevere prennent parfois un air de campagne, car ici la nature semble avoir repris ses droits sur la cité.*

Premier édifice Renaissance de Rome, le Tempietto ("petit temple") de Bramante suit la forme circulaire d'une chapelle élevée à l'emplacement du martyre d'un saint.

Ferdinand d'Aragon et Isabelle de Castille, les très catholiques rois d'Espagne, financèrent à la fin du XVe siècle la reconstruction de Saint-Pierre-sur-le-Mont-Doré. Au Moyen Age, on croyait – à tort – que ce lieu était proche de celui où l'on avait crucifié saint Pierre. Derrière cette façade austère se trouve le Tempietto conçu par le grand architecte Bramante.

Le Janicule

Le Janicule, au sud-est du Vatican, est en quelque sorte la huitième colline de Rome. Aux temps de la Renaissance, le peintre siennois Baldassare Peruzzi y créa La Farnesina, une villa “de campagne”, pour son riche compatriote, le banquier Chigi. Ce quartier toujours verdoyant fut incorporé à la ville seulement au XVIIe siècle, quand Urbain VIII décida de le fortifier. En 1849, Garibaldi s'opposa ici aux troupes françaises venues au secours d'un pape qui voyait sa Rome devenir républicaine. Ce combat héroïque – « Rome ou la mort » – est commémoré par deux monuments.

Garibaldi

Giuseppe Garibaldi (1807-1882) est l'un des artisans majeurs de l'Unité italienne. Contraint à l'exil à la suite de ses activités révolutionnaires au Piémont, il se bat au Brésil et en Uruguay, avant de regagner l'Italie au moment de la révolution de 1848. Aux côtés des républicains, il défend Rome sur le Janicule contre une attaque du corps expéditionnaire français, envoyé par Louis Napoléon pour réinstaller Pie IX, mais doit battre en retraite et s'exiler de nouveau. En 1860, il organise à Gênes l'expédition dite des Mille et conquiert la Sicile et Naples pour le nouveau roi italien Victor-Emmanuel. Rapidement, il entre en conflit avec Cavour, l'homme fort du nouveau gouvernement, à propos des Etats pontificaux. Il combat en France contre les Prusses en 1870-1871, et finit par être élu député de Rome en 1874.

Au cœur du Trastevere, la fontaine de la piazza Farnienze ressemble à la baignoire de quelque colosse de la mythologie romaine.

La façade de Santa Maria in Trastevere est ornée de sculptures, représentant quatre papes, et de mosaïques, qui montrent la Vierge et l'Enfant entourés de dix saintes.

Le Trastevere

Ce quartier "de l'autre côté du Tibre" était aux temps de l'Empire romain celui des marins et marchands étrangers. Est-ce pour cette raison que, selon la tradition, les chrétiens purent y célébrer librement la messe pour la première fois ? En tout cas, saint Calixte fit commencer ici la construction d'une église dédiée à la Vierge, qui est la plus ancienne de Rome : Santa Maria in Trastevere.

L'église actuelle date du XIIe siècle. Malgré quelques ajouts baroques, l'intérieur a gardé son caractère médiéval. Les mosaïques de l'abside, créées vers 1290 par Pietro Cavallini, racontent en six panneaux la vie de la Vierge.

Les façades délavées reliées par des cordes sur lesquelles sèche le linge se font rares...

Dans une ambiance héritière des vieilles fêtes populaires romaines, le Trastevere célèbre en juillet la Festa de Noantri ("à nous autres").

Un quartier populaire

Bien qu'intellectuels et artistes, suivis d'une bourgeoisie aisée, aient "découvert" le Trastevere il y a une vingtaine d'années, les ruelles et petites places ont gardé le charme d'une Rome populaire, plongeant ses racines loin dans le temps. C'est ici que l'on trouve de "vrais Romains" du peuple, des Romains installés depuis au moins sept générations ! Les jours d'été, les artisans sortent encore leur banc de travail devant leur boutique pour pouvoir bavarder avec leurs voisins, et, à la nuit tombée, les familles descendent des tables dans la rue pour profiter de la fraîcheur

La vespa, emblème de la jeunesse italienne.

Les jardins, au fond de cours discrètes ou en terrasse, où l'on soigne amoureusement des rosiers en espalier, des palmiers en pots et des bougainvillées en vasques de céramique, font du Trastevere une oasis de verdure et de calme. Une atmosphère aussi bienvenue que rare en cette ville souvent bruyante.

du *Ponentino*, ce petit vent qui atténue la chaleur étouffant la ville. Ceux des Romains qui ne peuvent pas fuir la canicule se retrouvent alors dans les *trattorie* et *pizzerie*, qui débordent sur les rues pavées – à moins qu'ils préfèrent dîner dans un des restaurants chics du quartier. Mais on vient aussi ici à tout moment de l'année pour voir un film dans l'un des nombreux cinémas ou pour danser toute la nuit dans une discothèque.

Chaleur des murs Rome : les façades ocre donnent le ton des promenades dans le quartier du Trastevere.

L'élégant campanile romain fut ajouté plus tard à Santa Maria in Cosmedin qui, après sa fondation au VIII*e siècle, était l'église de la communauté grecque de Rome.*

L'Aventin

De l'autre côté du Tibre, en face du Trastevere, s'élève l'Aventin. Le sommet de cette colline, où Rémus et Romulus auraient consulté les auspices pour savoir qui des deux donnerait son nom à la nouvelle cité, est dominé par Sainte-Sabine. Lors d'une rénovation en 1936, qui a effacé les ajouts ultérieurs, l'église a retrouvé toute la dignité d'une basilique des premiers temps chrétiens.

Le pont Rompu (ponte Rotto), *au sud de l'île Tibérine, n'est plus qu'une... arche. C'est en effet tout ce qu'il reste du pont Æmilius, emporté par une crue en 1598.*

Au XVIIe siècle, l'île Tibérine fut le lieu où l'on concentra les pestiférés pour éviter la propagation de l'épidémie. L'île n'a pas perdu sa vocation médicale : elle accueille aujourd'hui l'hôpital Fatebenefratelli.

Au pied de ce mont, près de l'île Tibérine, se tenait aux temps de la République romaine un marché aux bœufs, dont deux temples, les mieux conservés de la ville, gardent le souvenir. Dans ce quartier jalonné aujourd'hui de nombreuses ambassades, se trouve aussi Santa Maria in Cosmedin, église médiévale ornée de superbes pavements et de mobilier de marbre. Fondée au VIe siècle, puis agrandie au XIIe, elle doit sa réputation à un grand masque de marbre scellé dans le mur : la *Bocca de la Verità*, la "bouche de la vérité". Selon une vieille légende, il fallait, en prêtant serment, introduire la main droite dans la bouche. Mais gare aux parjures ! Leur main restait piégée dans la bouche.

La roche Tarpéienne

Rome s'est développée autour de sept collines : Aventin, Palatin, Capitole, Quirinal, Viminal, Esquilin et Coelius, chacune avec son histoire et ses légendes. Ainsi, le Palatin était le domaine favori des empereurs, et c'est là qu'un berger trouva les jumeaux élevés par la louve. Quant au Capitole, il porte, à son extrémité sud-ouest, la fameuse roche Tarpéienne, d'où l'on précipitait, jusqu'au Ier siècle apr. J.-C., les traîtres à la patrie. Ce rocher doit son nom à la vestale Tarpeia, l'une des vierges gardant le feu sacré de la ville. Fille d'un général romain, elle s'était éprise d'un roi sabin ennemi à qui elle offrit, en échange d'une promesse de mariage, d'ouvrir la place forte. Le roi accepta. Mais, une fois entré dans le Capitole, il fit écraser Tarpeia sous les boucliers de ses soldats.

Saint-Jean-de-Latran est la basilique de la ville dont le pape est l'évêque. C'est ici que, jusqu'en 1870, les souverains pontifes recevaient la tiare.

La forme octogonale du baptistère, qui remonte au Ve siècle, a servi de modèle dans toute la chrétienté. Le décor a été créé par Borromini au XVIIe siècle.

Le Latran

Du IVe au XIVe siècle, le Latran était le siège pontifical, et la basilique Saint-Jean, fondée sous Constantin, porte toujours le titre de « mère et tête de toutes les églises de la ville et du monde ». Mais c'est aussi un quartier populaire, où se réunissaient les foules communistes et où la veille de la Saint-Jean, le 23 juin, les habitants en grandes tablées mangeaient des *lumache* ("escargots") accompagnés de vin blanc.

Saint-Jean-de-Latran, première basilique chrétienne de Rome, fut plusieurs fois détruite au cours de son histoire. Le décor intérieur actuel remonte à la restauration du XVIIe siècle, qu'Innocent X commanda à Borromini.

Sigmund Freud à Rome

Sigmund Freud (1856-1939), le père de la psychanalyse, a été fasciné toute sa vie par la ville éternelle, qu'il visita sept fois. Dans l'*Interprétation des rêves,* il compare les souvenirs d'enfance présents dans les rêves aux colonnes et aux pierres antiques employées dans la construction de palais baroques romains. Lorsqu'il peut enfin visiter la ville, en 1901, il se rend – le premier jour – à la fontaine de Trevi pour jeter une pièce de monnaie dans le bassin... et n'hésite pas à insérer sa main dans la "bouche de la vérité", à Santa Maria in Cosmedin. Et le lendemain, il va à Saint-Pierre-aux-Liens voir le *Moïse* de Michel-Ange. Lors d'un séjour ultérieur, en 1912, il vient presque tous les jours admirer cette sculpture, qui exerça sur lui une grande fascination : dans un article publié en 1914, il tente même de déchiffrer l'intention de l'artiste.

Dans Sainte-Marie-Majeure, la magnifique mosaïque de l'abside (1295) incorpore des éléments du Vᵉ siècle.

L'Esquilin

Au nord du Latran s'élève la plus grande colline de Rome, l'Esquilin. Elle accueillait autrefois sur ses flancs les résidences des riches patriciens romains, dont celle de Mécène, ami de l'empereur Auguste et protecteur des arts. Les touristes ne s'égarent dans ce quartier sans charme que pour visiter les églises Sainte-Marie-Majeure et Saint-Pierre-aux-Liens. Cette dernière abrite, outre le *Moïse* de Michel-Ange, les deux chaînes miraculeusement soudées auxquelles aurait été attaché saint Pierre dans la prison Mamertine, une ancienne citerne du Forum reliée aux égouts.

La basilique Sainte-Marie-Majeure : des mosaïques du Ve au XIIIe siècle, un campanile romain, un plafond Renaissance, une façade et des coupoles baroques...

La sculpture du régime fasciste devait mettre en valeur l'homme nouveau, qui était à la fois guerrier et travailleur.

Le palais de la Civilisation du travail est surnommé par les Romains le "Colisée carré".

Le quartier de l'E.U.R.

Ce quartier doit son nom à un projet de Mussolini qui voulait y organiser l'Exposition universelle de Rome de 1942. Mais la guerre mit fin au chantier, qui fut repris et achevé seulement dans les années 1950. Du grand rêve d'une Troisième Rome restent quelques palais et perspectives monumentales dans une ville-satellite où voisinent ministères, musées et grands immeubles résidentiels.

Le style monumental datant de l'époque du fascisme italien paraît aujourd'hui pompeux et écrasant. Mais les habitants de l'E.U.R. semblent s'en accommoder, et les ensembles résidentiels construits dans ce quartier après guerre ont connu un grand succès.

Abandonnés par le cinéma, les studios servent aujourd'hui de lieu de tournage pour des films télévisés et des spots publicitaires.

Cinecittà...

Le 29 janvier 1936, Mussolini pose la première pierre des studios, à quelques kilomètres de Rome. Exactement 475 jours plus tard, Cinecittà – un énorme complexe de six cent mille mètres carrés – est inaugurée. Mais cet Hollywood italien qui, de 1937 à 1943, produit tout de même 279 films deviendra surtout célèbre après-guerre, lorsque les maîtres du cinéma italien (Rossellini, Pasolini, Fellini...) vien-

Les décors grandioses de Cinecittà n'ont pas seulement servi à Fellini, car plusieurs superproductions américaines, comme Cléopâtre *de Mankiewicz (1963), ont été tournées ici dans la période de l'après-guerre. Souvent, les accessoires de ces films sont vendus aux enchères.*

Désormais associée à l'univers du cinéma italien, la via Veneto est devenue célèbre après l'immense succès de La Dolce Vita, *de Fellini. Mais cette longue rue, qui a servi de décor à la folle nuit d'Anita Ekberg et de Marcello Mastroianni et à de nombreux films, est avant tout simplement élégante.*

et la légende de la via Veneto

dront y tourner leur films. A cet univers mythique du 7e art est lié le nom d'une rue qui n'a pourtant jamais été le centre cinématographique de Rome, la via Veneto. Dans les années 1960, toutes les célébrités se montraient aux terrasses de ses hôtels de luxe, et les *paparazzi* y trouvaient un excellent terrain de chasse. Autres temps, autres mœurs, les touristes ont aujourd'hui remplacé les stars. La grande rue en courbe semble n'être qu'un vaste décor de cinéma délaissé – ses vedettes ont préféré traverser le Tibre et mener une vie plus bohème dans le quartier du Trastevere.

Federico Fellini

Bien que romain d'adoption – il est né à Rimini –, Federico Fellini (1920-1993) a entretenu avec Rome une véritable histoire d'amour. Après la guerre, il collabore d'abord avec Roberto Rosselini, dont le film *Rome, ville ouverte* (1945) est la première manifestation du néoréalisme. Dans ses propres films (*La Strada*, 1954 ; *Huit et demi*, 1963, *Satyricon*, 1969 ; *Roma, 1972; Amarcord*, 1973 ; *Répétition d'orchestre*, 1978 ; *La Cité des femmes*, 1980...), Fellini crée un univers bien à lui. Si ses derniers films se déploient surtout dans l'imaginaire, il a compris et exploité plus que tout autre cinéaste Rome comme décor. Et c'est au cours du tournage de *La Dolce Vita* (1960), que Fellini, agacé par les photographes qui poursuivent l'actrice Anita Ekberg, a inventé le mot *paparazzo*, du nom d'un de ses camarades de classe particulièrement curieux.

On compte à Rome plus de deux cents fontaines. Elles sont toutes alimentées par un formidable réseau d'aqueducs, hérité de la Rome antique.

Depuis toujours, à Rome, les fontaines jouent un grand rôle : sources de vie pour tous, elles symbolisent aussi bien la liberté que le pouvoir, sur fond d'histoire ou de légendes.

Temple d'Esculape, villa Borghèse.

Fontaines et villas

« Dans cette villa, la plus belle, sinon du monde, du moins de la ville, construite pour les plaisirs honnêtes, que chacun se promène ou se repose à sa guise [...]. Que les hôtes se divertissent aux jeux des poissons, qu'ils se délectent du chant des oiseaux, mais qu'ils se gardent bien de les déranger. » Voilà l'invitation que propose l'inscription à l'entrée de la villa Giulia. Des promesses que cette demeure n'est pas seule à tenir. Entre légendes et murmures, les pierres et les jardins ici ont une âme.

Le Tibre au pied du château Saint-Ange. Ville au bord du Tibre plutôt que traversée par lui, Rome ne s'est jamais contentée de l'eau du fleuve.

Les Romains ont été grands consommateurs d'eau dès l'Antiquité. Pour subvenir aux besoins d'un million d'habitants et alimenter bains publics, fontaines et bassins, ils construisent des aqueducs, dont les vestiges émerveillent encore aujourd'hui. Et lorsque les papes font remettre en état ce vaste réseau à partir du XVe siècle, ce retour des eaux à Rome est célébré par les plus grands artistes à travers de véritables chefs-d'œuvre : les fontaines.

D'innombrables fontaines de tous styles et de toutes époques jaillissent dans les jardins de villa, au détour d'une ruelle ou au beau milieu d'une grande place. L'amour des Romains pour les jeux d'eau n'a jamais cessé.

C'est un sculpteur inconnu qui ajouta à la fontaine de la place Mattei les tortues qui font tout le charme de cette œuvre de Giacomo della Porta et Taddeo Landini (1581).

Cité incorrigiblement bavarde comme ses habitants et ses statues, Rome résonne aussi du murmure et du tambourinement de l'eau de ses fontaines.

La grande famille romaine des Farnèse a orné ses fontaines de son emblème, le lys.

Même devenue chrétienne, Rome semble avoir gardé un goût prononcé pour les légendes. Après Romulus et Rémus, ce sont les chrétiens martyrs des persécutions au temps de l'Empire qui font naître des légendes en mille lieux de la ville et l'on y construit souvent des églises. Et si les papes commandent à leurs artistes d'investir les monuments antiques d'une signification chrétienne,

Une vieille croyance veut que Rome à ses débuts ait été peuplée en partie par des statues colossales, dont les restes jalonnent encore la ville, tel ce Pie di Marmo *("pied de marbre"), dans le quartier du Panthéon.*

Au Moyen Age, les accusés devaient mettre la main dans la bocca della verità. *Si Dieu, secondé par un prêtre caché dans l'obscurité, "mordait" ceux qu'il jugeait coupables, ils étaient condamnés à perdre leur main sous le couperet du bourreau !*

Légendes...

le peuple romain semble vénérer la Vierge et les saints avec une idée toute païenne, selon laquelle les dieux doivent rendre lorsqu'on leur donne. La Madone de Saint-Augustin aurait ainsi le pouvoir de redonner la santé aux enfants malades. Quant à l'escalier de Santa Maria in Aracœli, il ferait gagner à la loterie nationale celui qui gravirait ses cent vingt-quatre marches à genoux...

Il Pasquino *est l'une des nombreuses statues "parlantes" qui ont longtemps servi à véhiculer des messages satiriques ou revendicatifs. Car ces statues étaient affublées de petits tracts. Les papes n'appréciaient guère cette liberté d'expression : les petits plaisantins risquaient... la peine de mort.*

C'est un préfet français qui, pendant l'occupation napoléonienne, chargea Valadier de résoudre le problème de dénivellation entre la colline du Pincio et la place du Peuple.

Les allées du parc de la villa Borghèse sont bordées de statues, dont celles de Goethe, Victor Hugo et lord Byron (ci-dessus). Le poète anglais séjourna en Italie de 1816 à 1822. Il y écrivit ses dernières œuvres : Don Juan, Sardanapale, Ciel et Terre.

Grandes familles et villas

La continuité de l'Antiquité se manifeste encore dans le pouvoir qu'exercent sur Rome les grandes familles – les Orsini, les Colonna et les Caetani d'origine romaine, les Médicis originaires de Toscane, les Borghèse de Sienne, les Este de Ferrare, etc. –, parmi lesquelles se recrutent la plupart des papes et des cardinaux depuis la Renaissance. Riches mécènes, leurs représentants commanditent non seulement des églises et des places publiques, mais aussi des palais et surtout de superbes villas, inspirées de loin de leurs modèles antiques, telle la villa d'Hadrien. Souvent

Dans le parc de la villa Borghèse.

Les villas de Rome abritent aujourd'hui des musées, comme le palais Barberini (ci-dessus), ou accueillent des chercheurs, des lauréats et des académies étrangères implantées à Rome, telle l'Académie de France à la villa Médicis, l'académie britannique dans un pavillon de la villa Giulia, les écrivains allemands dans la villa Massimo…
Les Espagnols, eux, ont préféré loger leur académie dans un couvent du Trastevere.

entourées d'immenses jardins, elles sont situées alors aux confins de la cité, notamment sur la colline du Pincio. La plus fastueuse d'entre elles, aujourd'hui dans Rome, est sans doute la villa Borghèse, créée au début du XVIIe siècle par un neveu du pape. Son parc, le premier "à la française" de Rome, a depuis été agrandi et orné de pavillons, de temples, de fontaines et de statues, qui en font à la fois un merveilleux lieu de promenade

Au détour d'une allée, le temple néoclassique de Diane.

Les jardins à la française du parc de la villa Borghèse.

et un superbe musée en plein air. A l'autre bout du parc du Pincio s'élève la villa Giulia, l'une des plus vastes de Rome. Résidence d'été de Jules III, elle hébergeait de son vivant une immense collection de statues : il a fallu faire 160 voyages pour la transférer au Vatican après la mort du pape en 1555 ! Les plus grands artistes de l'époque – Vignole (l'architecte de l'église du Gesù), le peintre biographe Giorgio Vasari, le sculpteur Ammannati et

Ci-contre : le temple d'Alatri, dans les jardins intérieurs du Musée national étrusque, villa Giulia. La reconstitution de ce temple à la fin du XIXe siècle s'est appuyée sur des fouilles effectuées à l'époque et sur les récits de l'architecte romain Vitruve, ingénieur sous Jules César (Ier siècle avant J.-C.)

La façade de la villa Giulia a emprunté la forme de son entrée à un arc de triomphe.

Des villas musées

Michel-Ange – en dessinèrent le jardin qui s'étendait jadis jusqu'aux bords du Tibre. A la fin du XIXe siècle, la spéculation immobilière a – hélas ! – fait disparaître plusieurs autres villas du Pincio. Mais cette époque a vu aussi l'ouverture de ces espaces au public, qui peut désormais se promener dans les jardins ou visiter les riches collections des musées aménagés dans ces deux villas : sculptures notamment du Bernin (*Apollon et Daphné*, *David* et *Pluton et Perséphone*) au musée Borghèse, antiquités préromaines dans la villa Giulia devenue musée d'art étrusque.

Les architectes Vignola et Ammanati conçurent entre les ailes de la villa Giulia d'agréables jardins propices à la méditation, où le pape Jules III aimait beaucoup se promener.

Salon des perspectives, dans la villa La Farnesina. Entre les colonnades en trompe-l'œil, on peut découvrir une Rome telle qu'elle était au XVIe siècle.

Ci-contre, le palais Corsini. Situé en face de la Farnesina, il abrite la Galerie nationale d'art ancien, qui présente des toiles rassemblées au fil des siècles par la famille Corsini. Au tableau d'honneur, Rubens, le Caravage, Van Dyck, Murillo, ou encore Poussin.

De l'autre côté du Tibre, en bas du Janicule, s'élève une somptueuse villa Renaissance, La Farnesina. Œuvre de l'architecte et peintre siennois Peruzzi, assistant de Bramante, elle fut acquise en 1577 par le cardinal Farnèse. Les fresques qui ornent les murs, inspirées de la mythologie antique, sont en partie de Raphaël, qui y a laissé sa célèbre *Galatée* et peut-être aussi de Michel-Ange qui aurait créé le portrait de Peruzzi dans le même salon.

Dernier avatar des villas du jardin du Pincio, la Casina Valadier est l'œuvre du grand urbaniste romain du début du XIXe siècle dont elle porte le nom.

Siège de la papauté depuis des siècles, la basilique Saint-Pierre de Rome est le cœur de l'Eglise catholique.

C'est à Rome qu'est née la plus ancienne institution de l'Occident, la papauté. De saint Pierre à Jean-Paul II, deux mille ans qui lient étroitement la Ville éternelle et le chef de l'Eglise catholique.

Sous la tiare papale de pierre...

Rome et les papes

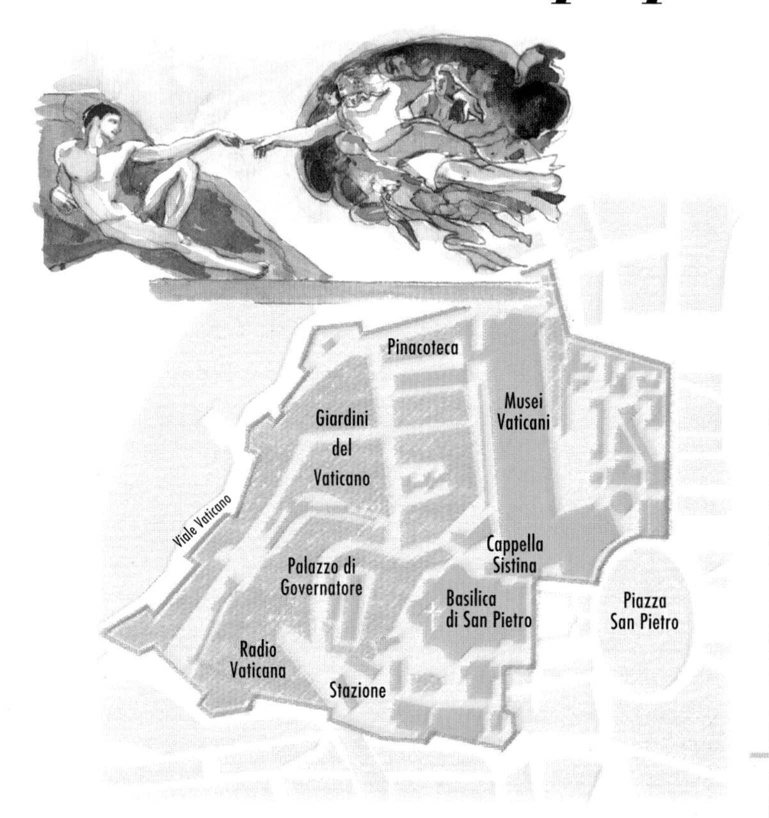

Pierre et Paul

Jésus-Christ a choisi douze disciples, dont Pierre, pour être ses apôtres, c'est-à-dire les propagateurs de son message. Avec Paul, un citoyen romain converti, Pierre a joué un grand rôle dans la diffusion, au sein de l'Empire romain, de la nouvelle religion révélée par Jésus. La tradition veut qu'ils aient fini leur vie à Rome. Ayant reçu de Jésus en personne la mission de répandre l'Evangile (la "bonne nouvelle"), ils arrivent à Rome vers le milieu du Ier siècle de notre ère pour y enseigner la foi dans le Christ. Lorsque l'empereur Néron persécute les premiers chrétiens, dans les années 64-67, Pierre et Paul comptent parmi les milliers de victimes. L'histoire verra dans ces deux martyrs – ils ont accepté la mort plutôt que de renier leur foi – les fondateurs de l'Eglise de Rome, dépositaires de la "vraie" foi.

« Tu es "Pierre", et sur cette pierre je bâtirai mon église », c'est en ces termes que Jésus aurait donné son nom et sa mission à celui de ses disciples qui s'appelait Simon. Devenu ainsi le chef des chrétiens, saint Pierre est considéré comme le premier pape de l'Eglise (ce mot, qui vient du grec, signifie "assemblée").

Qui donc véhicule la "vraie" foi ? C'est cette question que se posent, après la mort des apôtres du Christ, les croyants dispersés au quatre coins de l'Empire romain. Avec comme résultat plusieurs versions du message chrétien d'origine. Les communautés s'accordent à penser que le vrai message de Jésus est à rechercher auprès des Eglises apostoliques, c'est-à-dire les assemblées de chrétiens fondées par les apôtres. Les Eglises créées par l'apôtre Pierre – à Antioche, Rome et Alexandrie – s'imposent peu à peu aux autres. Celle de Rome, surtout, où Pierre et Paul venus prêcher la bonne parole sont morts en martyrs.

L'empereur Constantin est le premier empereur romain à se convertir au christianisme.

Rome chrétienne

Après la grande persécution des chrétiens au début du IVe siècle, le nouvel empereur, Constantin, accorde la liberté de culte. Mieux, il se convertit au christianisme. Quand, vers 330, il déplace la capitale de l'empire à Byzance (qu'il renomme Constantinople), l'évêque de Rome, qui dirige la communauté des chrétiens, gagne en autonomie et entreprend de christianiser la cité. Au Ve siècle, presque tous les Romains sont convertis, et l'Eglise de Rome s'affirme encore plus dans son rôle de détentrice de la foi et d'arbitre entre les diverses Eglises.

Construite à l'emplacement d'une ancienne caserne par l'empereur Constantin, la basilique du Latran date du début du IVe siècle. L'édifice sera pendant près de mille ans la résidence des papes.

C'est au IVe siècle, lorsque Rome devient une ville entièrement chrétienne, que l'Eglise romaine a commencé à s'enrichir. Les Romains issus de l'aristocratie ont suivi l'exemple de l'empereur Constantin et se sont convertis au christianisme, apportant à l'Eglise une part de leurs biens. L'Eglise acquiert ainsi de vastes territoires, qui serviront plus tard de greniers à blé, bien utiles lors des grandes famines du Moyen Age. Partout commencent à se dresser églises et basiliques, toutes se voulant plus grandioses les unes que les autres.

Réunis à Nicée, en 325, les évêques condamnent ceux qui nient la divinité du Christ.

Au Ve siècle, l'arrivée des barbares ébranle l'Empire romain d'Occident, mais elle va paradoxalement renforcer le rôle de l'Eglise. Après un siècle et demi d'invasions et de domination étrangère, Rome est en effet éprouvée. Et l'invasion des Lombards, en 568, n'arrange rien, d'autant que l'empereur, qui réside à Constantinople, rechigne à distribuer des aides à Rome. Le pape Grégoire Ier, chef élu des chrétiens en 590, se substitue

Attila et ses hordes de Huns entrent dans Rome en 452. Sur l'insistance de Léon Ier, pape diplomate et habile, le chef barbare épargnera la ville.

Noble romain devenu moine, Grégoire Ier a été élu pape par acclamation des dignitaires religieux et du peuple alors que la peste et l'inondation du Tibre ravageaient Rome.

Un pouvoir aussi temporel

à l'autorité politique : il négocie avec l'ennemi lombard et nourrit la population, frappée par les famines. Peu à peu, Rome se détache ainsi de Constantinople et, cessant de se référer à l'empereur, acquiert un pouvoir non plus seulement spirituel mais temporel. Le contexte s'y prête : la population, lassée des abus répétés des percepteurs de Constantinople, est favorable au pape.

Rome, au début du Moyen Age, n'est plus que le pâle reflet de sa splendeur passée. Elle qui a compté jusqu'à un million d'habitants n'en a plus que cent mille. Terrains vagues et édifices décapités ont remplacé les anciens centres de l'apogée de l'Empire.

Tout en menant une politique d'expansion, le roi des Francs, Charlemagne, couronné empereur des Romains, veille au développement du christianisme en Occident.

L'Eglise romaine souveraine

Du XIe au XIIIe siècle, les chrétiens d'Occident, sous l'impulsion des papes, lancent des croisades. Ces campagnes militaires sont destinées à protéger les chrétiens d'Orient des assauts des musulmans et à reprendre la ville sainte de Jérusalem. Les croisés s'en empareront en 1099.

Pour se défaire des ennemis et s'affranchir de la tutelle de Constantinople, tous les moyens sont bons. Les papes interviennent dans les affaires des Francs, premiers barbares à être passés au christianisme, installés de l'autre côté des Alpes. Ils légitiment la prise du pouvoir par les Carolingiens aux dépens des Mérovingiens qui régnaient jusqu'alors... pourvu qu'ils les débarrassent des Lombards.

Innocent III, pape de 1198 à 1216, incarne la puissance temporelle de l'Eglise. Il s'oppose au roi d'Angleterre Jean sans Terre et au roi de France Philippe Auguste; il impose sa tutelle à Frédéric II de Hohenstaufen, roi de Sicile et futur empereur germanique; il lance une expédition contre les hérétiques cathares du Midi de la France, et déclenche la quatrième croisade...

L'alliance entre Rome et la nouvelle dynastie se concrétise : le roi des Francs, Pépin le Bref, vainc les Lombards et donne au pape les territoires conquis. Son successeur, Charlemagne, est couronné empereur à Rome en 800 par le pape Léon III. Mais la suite n'est qu'une longue lutte entre papes et empereurs successifs. Avec Innocent III, le pouvoir papal atteint son apogée, au début du XIIIe siècle. Le "successeur de Pierre" est devenu un pontife souverain, qui impose son autorité à la chrétienté et arbitre toutes les décisions des rois d'Occident. Après lui, cependant, Rome ne jouera plus qu'un rôle secondaire dans l'histoire politique de l'Occident.

Les papes en Avignon

De 1309 à 1376, les papes vont délaisser Rome au profit d'Avignon. C'est Clément V qui le premier choisit Avignon pour installer le siège de la papauté. Son successeur, Jean XXII, à coups d'impôts à répétition, récolte une immense fortune, qui permettra au pape suivant, Clément VI, de faire construire le grandiose palais des Papes. Avec Grégoire XI, la papauté retrouve Rome en 1376, car tous les chrétiens d'Europe exigeaient son retour. Mais en 1378, Urbain VI, son successeur, étant devenu fou, certains évêques élisent un autre pape, Clément VII, qui s'installe à Avignon. L'Eglise compte alors deux papes, auxquels viendra s'adjoindre un troisième après le concile de Pise (1409) ! Les choses ne rentrent dans l'ordre qu'en 1420, avec Martin V, qui regagne définitivement Rome.

Conçue par Bramante, la cour de la Pomme de pin, où se dresse cette énorme pigne en bronze de l'époque romaine, est l'une de celles qui relient les palais du Vatican.

La Renaissance

A partir du XVe siècle se développe en Europe une nouvelle façon de concevoir le monde, inspirée de l'Antiquité. Désormais conscient d'être maître de son destin, l'homme revendique une place centrale dans l'univers. Les papes ne se trompent pas sur l'importance de ce mouvement "humaniste", qu'accompagne un grand élan artistique : la Renaissance. Nicolas V fait venir à Rome des savants,

Le château Saint-Ange, à proximité du Vatican, a été tour à tour mausolée de l'empereur Hadrien, prison, résidence papale, caserne et, aujourd'hui, musée. Les mélomanes y entendront encore le cri de Tosca, l'héroïne de l'opéra de Puccini, qui s'est jetée du haut des murs de cette forteresse...

La place Saint-Pierre, vue du dôme.

rassemble un grand nombre de livres anciens, créant la bibliothèque Vaticane. Jules II et Léon X entreprennent des travaux grandioses qui font de Rome un gigantesque chantier. Ils s'attachent les services d'artistes pétris de talent. C'est à Bramante, maître des proportions, des lignes sobres et équilibrées inspirées de la Rome antique, qu'échoit l'honneur de reconstruire la basilique Saint-Pierre – véritable cœur de la chrétienté,

Le mécénat des papes n'a pas son origine dans le seul humanisme. En ce début de Renaissance, il s'agit aussi de "redorer le blason" de l'Eglise de Rome, assez affectée par l'exil des papes en Avignon. Rome se doit d'attirer, d'accueillir et de convertir le plus grand nombre. Les meilleurs artistes l'y aideront. Les formidables travaux engagés par les papes mécènes serviront au rayonnement de l'Eglise dans une Rome qui veut retrouver sa splendeur passée. Car au début du XVIe *siècle la ville est dans un triste état : rues insalubres et malfamées, édifices délabrés, champs de ruines antiques régulièrement pillés...*

La Pietà *de la basilique Saint-Pierre, œuvre de Michel-Ange.*

La riche décoration intérieure de la coupole de Saint-Pierre, à laquelle a travaillé Michel-Ange vers la fin de sa vie, préfigure l'art baroque du siècle suivant.

L'art au service de la religion.

L'année 1546, où le pape Paul III nomme Michel-Ange directeur du chantier de Saint-Pierre, est aussi celle de la mort du théologien allemand Martin Luther. Les thèses réformatrices de Luther ont divisé la chrétienté, opposant les catholiques et les protestants, qui s'élèvent contre Rome, les mœurs et les fastes de la papauté. Prônant le retour à une vie plus chrétienne, la Réforme gagne parmi les pays de l'Europe du Nord. En 1545, le pape Paul III a convoqué l'ensemble des évêques pour réviser la discipline de l'Eglise. Ce concile, qui s'est clos à Trente, en 1563, donne le signal de la Contre-Réforme catholique.

l'édifice est en effet dans un état déplorable. Mais sa mort, en 1514, l'empêche de mener à bien le chantier. Appelé aussi à Rome, Raphaël, l'un des artistes les plus brillants de son temps, prend le relais de Bramante. Surtout, la décoration des appartements du pape, où il peint des fresques somptueuses, devient sa grande entreprise, jusqu'à sa mort en 1520. Au milieu du siècle, Michel-Ange s'attellera à son tour à Saint-Pierre.

Détail des fresques du palais du Vatican, exécutées par Raphaël.

La fresque du Jugement dernier *réalisée par Michel-Ange dans la chapelle Sixtine choqua par la nudité des personnages, dont bon nombre furent par la suite voilés.*

Pas moins de deux cents colonnes, disposées en double rangée, entourent la place aménagée devant la basilique Saint-Pierre par le Bernin à la demande du pape Alexandre VII vers le milieu du XVIIe siècle.

La chapelle Sixtine

Si sa carrière d'architecte se décide sur le tard, Michel-Ange a d'abord été un sculpteur génial, mais pas seulement. Installé à Rome depuis le début du XVIe siècle, il a été chargé de peindre la voûte de la chapelle Sixtine. Un véritable défi. Il a fait construire un échafaudage fixe, bien gardé pour échapper aux pilleurs d'idées – même le pape s'en voit refuser l'accès ! Peignant couché, le bras levé, il lutte pendant quatre ans pour achever les quelque 500 mètres carrés de fresques ! De tels artistes, exceptionnels, ont contribué à refaire de Rome la capitale de l'Europe.

Lorsque, un siècle après la mort de Michel-Ange, le Bernin dresse ses colonnades devant Saint-Pierre, le temps des grands travaux s'achève. Rome a retrouvé son éclat.

Magistralement conçue par le Bernin, la place Saint-Pierre offre un écrin théâtral à la plus grande église de la chrétienté.

Les richesses du Vatican

Au cours des siècles, l'Eglise de Rome a accumulé des richesses considérables et un patrimoine artistique inégalé, qui a échappé en grande partie aux saccages et pillages que la ville a subis. Nombre de ces merveilles sont rassemblées dans les musées du Vatican, les célèbres *Musei Vaticani*, qui regroupent près de 1 500 salles, dont certaines sont ouvertes au public depuis le XVIIIe siècle.

Dans les musées du Vatican, un étonnant escalier hélicoïdal mène à la pinacothèque (ci-contre), où sont exposées des peintures du XIIe au XIXe siècle. Fondée par Pie VI à la fin du XVIIIe siècle, elle fut réaménagée en 1932.

Les jardins du Vatican.

Du *casino* de Pie VI à la bibliothèque apostolique en passant par la galerie des Cartes et le palais du Belvédère, où est conservée l'une des plus grandes collections d'antiquités, le Vatican abrite un véritable trésor, accessible au regard des milliers de visiteurs venus du monde entier. Des paisibles jardins alentour le dôme blanc de Saint-Pierre se dévoile dans toute sa puissance, à l'écart de la ville éternelle que pourtant il domine.

Art égyptien, art grec, art étrusque et romain, art médiéval, sans oublier bien sûr les collections inestimables d'œuvres de la Renaissance, les musées du Vatican sont immenses, et il ne faut pas espérer les visiter en un jour. La chapelle Sixtine, par exemple, est à près d'une demi-heure de marche de l'entrée. Un petit effort pour un grand spectacle. Car si pendant longtemps, les visiteurs devaient entrer à reculons dans la chapelle pour ne pas voir la nudité des personnages du Jugement dernier *de Michel-Ange, ces fresques sublimes s'offrent aujourd'hui sans réserve au regard, brillant des couleurs (restaurées) les plus éclatantes.*

La galerie des Cartes présente des pièces originales rarissimes du XVIe siècle.

Les papes et la modernité

En 1600, l'Eglise fait brûler vif le philosophe Giordano Bruno, qui s'est rallié à la vision du monde proposée par l'astronome Copernic, selon laquelle la Terre n'est pas au centre de l'univers. Trente-trois ans plus tard, elle condamne pour les mêmes raisons le savant Galilée à la prison à vie. L'humanisme de la Renaissance n'a pas mis fin d'un coup à l'obscurantisme tourmenté de l'Inquisition.
Si ces temps semblent aujourd'hui révolus, la résistance des papes à suivre les évolutions de leur époque demeure. En 1967, dans une de ses encycliques, Paul VI condamne avec véhémence la contraception. Même Jean-Paul II, pourtant réputé pour ses prises de position en faveur des droits de l'homme, s'oppose, à la fin des années 1990, à l'usage du préservatif, malgré la terrible menace du virus du Sida.

Son humilité, sa bonté et son amour du dialogue ont fait de Jean XXIII un pape très populaire. Sa mort, le 3 juin 1963, provoqua à Rome une profonde tristesse. Malgré la brièveté de son pontificat, il a engagé l'Eglise dans une mutation profonde et rapproché la papauté de la communauté des hommes, religieux ou laïcs.

De Vatican II... à Jean-Paul II

Pour la papauté, la fin du XXe siècle signe l'ouverture au monde moderne et aux autres religions. Le début du siècle a été marqué par des papes peu enclins au progrès, voire réactionnaires : les accords du Latran voient Pie XI cautionner Mussolini et le fascisme en 1929, et Pie XII, à l'après-guerre, passe sous silence les atrocités perpétrées par les nazis. L'élection de Jean XXIII, en 1958, constitue un tournant dans l'histoire de la papauté. Il convoque un grand concile œcuménique, Vatican II, qui s'ouvre quatre ans plus tard, avec pour la première fois la présence

C'est du fameux balcon de la basilique Saint-Pierre que le pape donne sa bénédiction urbi et orbi *: "à la ville" – Rome – "et au monde".*

C'est sous le pontificat de Paul VI que se sont achevés, en 1965, les travaux de Vatican II, deuxième concile à s'être tenu au Vatican. S'il s'efforce d'en appliquer les orientations nouvelles et de rompre avec la tradition sédentaire des papes, cet homme cultivé mais souvent indécis reste plus préoccupé de spirituel que d'intervention dans le monde.

d'observateurs de confession non catholique. Il consacre le renouveau de l'Eglise et la volonté d'accueil aux hommes de bonne volonté, et place la liberté de culte au centre des débats. Poursuivant dans le sens de la rencontre avec l'humanité souffrante, Jean-Paul II parcourt le monde. Il n'hésite pas à se prononcer sur les problèmes politiques et socio-économiques contemporains, tout en renforçant l'autorité doctrinale de l'évêque de Rome.

Dotée de mamelles innombrables, Diane, déesse des bois et de la chasse, règne comme il se doit sur la fontaine dédiée à la nature dans les jardins de la villa d'Este.

Depuis l'Est romain, on gagne vite les hauteurs de Castelgandolfo ou de Tivoli, où des villas aux jardins de rêve gardent le souvenir de Romains célèbres.

Un ange se désaltère à la villa d'Este.

Rome hors les murs

Le palais papal de Castelgandolfo tient son nom de l'ancien château ducal de la famille Gandolfi, sur l'emplacement duquel il a été érigé.

Moins célèbre que le Bernin, Maderno a aussi conçu la façade de Saint-Pierre de Rome.

Castelgandolfo

Au sud-est de Rome, ce village des monts Albains est célèbre pour abriter la résidence d'été du pape, érigée en 1624. Le palais papal, créé par le Bernin et Maderno, s'enorgueillit de marbres précieux, de splendides tapisseries et de peintures de Véronèse. Le jardin étagé alentour, le lac volcanique qui borde l'édifice et la région, civilisée depuis trente siècles, sont dignes de sa majesté.

Castelgandolfo est sans doute situé sur le site d'Albe la Longue, la plus ancienne cité du Latium, née plus de dix siècles avant J.-C. Selon la légende, elle aurait été fondée par le fils du roi troyen Enée, bien avant la naissance de Romulus.

Né au sud de l'Espagne, alors province de l'Empire romain, Hadrien acquiert sa formation intellectuelle à Rome, sous la tutelle de Trajan auquel il succède. Son éducation très imprégnée de lettres grecques fait de lui un des hommes les plus cultivés de son temps. Optant pour une politique de retour à la paix, il met fin aux conquêtes et protège l'Empire contre les Barbares au moyen de fortifications continues (mur au nord de l'Angleterre, limes *le long du Danube...). Convaincu des bénéfices de l'unité culturelle pour l'Empire, il sillonne les provinces pour mieux les connaître. De retour dans sa villa, il se livre à ses "passe-temps" favoris : la peinture et l'architecture.*

Un bel éphèbe contemple le Canope.

La villa d'Hadrien

L'empereur Hadrien (76-138) recréait à son idée dans les 120 hectares de sa résidence d'été des monuments inspirés des lieux qu'il aimait : on y "retrouve" ainsi le Stoa Poïkile, portique d'Athènes qui donna son nom à l'école stoïcienne, et le bosquet de l'Académie où Platon s'entretenait avec ses élèves. Mais l'empereur érudit était aussi un sentimental, qui fit

Nombre des sculptures de la villa ont été rénovées et remplacées par des copies. D'autres attendent encore d'être exhumées.

Le Canope, vaste étendue d'eau, évoque Canope, ville d'Egypte reliée par un canal à Alexandrie, et la Grèce des sculpteurs grâce à de belles copies de leurs œuvres.

De la curiosité intellectuelle d'Hadrien la villa hérita des théâtres, des bibliothèques et même un atelier. Mais il y avait aussi des thermes et les habitations des invités... et des esclaves.

ériger en souvenir de son "mignon préféré", Antinoüs, une copie du sanctuaire de Sérapis, au bord du Nil, où s'était noyé le jeune homme. Trésor d'œuvres d'art, le site de la villa d'Hadrien, pillé, abandonné, utilisé comme carrière de marbre puis comme stock d'objets d'art, garde, malgré une traversée des siècles mouvementée, le charme qu'y imprima la personnalité de son propriétaire.

Grottes artificielles, fontaines sculptées, cascades d'eau et de verdure savamment aménagées témoignent encore des goûts de luxe des princes de l'Eglise.

Ligorio conçut l'ensemble des jardins et des fontaines en même temps que la villa, dans l'esprit de la Rome antique.

Les jardins de la villa d'Este

Sans doute le souvenir d'Hadrien inspira-t-il le cardinal Hippolyte d'Este, fils de Lucrèce Borgia, quand il fit construire, au début du XVIe siècle, une nouvelle villa, dominant l'antique demeure impériale. L'architecte Ligorio en soigna la décoration intérieure, confiée à des peintres maniéristes. Mais son chef-d'œuvre est la conception des jardins, célèbres dans le monde entier. Répartis sur

Au bord de l'allée aux Cent-Fontaines.

cinq terrasses tant le terrain est escarpé, ils forment une "façade" creusée d'escaliers. D'innombrables fontaines et jeux d'eau, aussi excentriques les uns que les autres, créent un ensemble visuel et sonore unique, qui a séduit de nombreux artistes. On se perdra avec délices dans ce labyrinthe touffu de buissons, de bosquets et de grottes, avant d'embrasser le merveilleux panorama de Tivoli, campagne de Rome.

L'aigle est le symbole de la puissante famille d'Este. Issue de marquis toscans, elle compta des descendants parmi les ducs de Bavière, de Brunswick et chez les électeurs de Hanovre, qui régnèrent sur la Grande-Bretagne. Elle vit naître aussi des mécènes : les ducs de Ferrare, au cœur de la Renaissance, et les protecteurs des poètes Pétrarque, l'Arioste ou le Tasse. C'est Bonaparte qui en scella le déclin en détrônant le dernier duc de la lignée – dont la fille allait cependant donner naissance à une branche nouvelle des... Habsbourg-Este !

Le compositeur Liszt, ordonné prêtre à la villa, y écrivit la partition de Jeux d'eau à la villa d'Este. *Le lieu attira aussi des peintres, tels Fragonard et Hubert Robert.*

L'atelier du loisir créatif

Après la théorie, passons à la pratique.

Avec vos dix doigts,
deux ou trois bricoles et un zeste de bon sens,
vous pourrez prolonger l'aventure en réalisant
vos propres ***créations****.*

Ces travaux simples et astucieux vous laisseront
un ***souvenir*** *impérissable de votre destination*
et de son univers singulier.

Une façon originale et peu onéreuse
de revivre et de retrouver
les merveilleuses images de votre voyage...
tout en vous ***amusant****.*

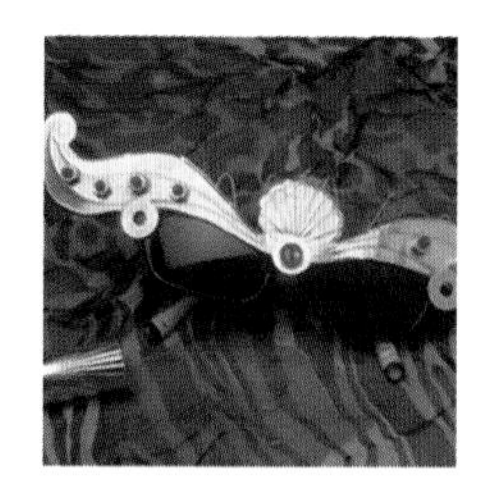

Les lunettes de soleil Cinecitta

Ces lunettes de délire, inspirées de celles des folles années du cinéma italien, pourront servir de décoration ou d'accessoire fou pour une soirée d'enfer ! A partir des explications, modifiez à volonté leur allure en fonction des trésors tirés de vos tiroirs ou de votre boîte à outils.

L'arabesque

• Photocopier le modèle en l'agrandissant à 22,5 cm de long.

• Poser la photocopie sur la feuille de laiton.
• Les fixer ensemble au ruban adhésif et découper les 2 feuilles en même temps avec les ciseaux.

• Avec la pointe du stylo à bille, graver sur l'envers de l'arabesque les volutes et l'intérieur de la coquille centrale.
• Sur toute la longueur, coller à la Super Glue les petits écrous puis, sur ceux-ci, les petites perles.

• Coller une perle sur une rondelle et coller celle-ci sur la coquille centrale.

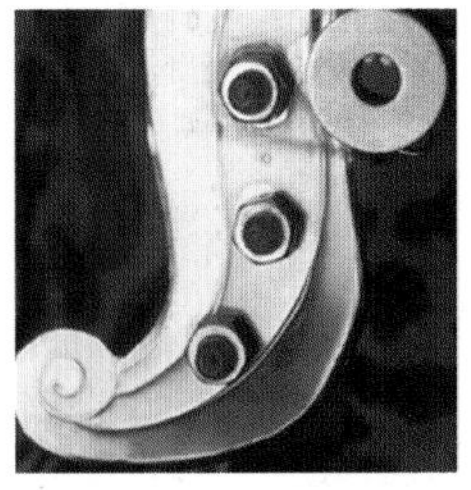

• Toujours à la colle, assembler l'arabesque

aux lunettes par deux rondelles qui serviront de supports aux extrémités de la monture.

Le faux diadème

• Plier le fil de laiton en un accordéon large de 2 cm. Le fixer en tordant chacune de ses extrémités autour des branches.

Les branches

• Glisser 2 perles sur chaque branche avant d'habiller celles-ci d'un brin de raphia que vous fixerez à chaque extrémité avec un point de Super Glue.

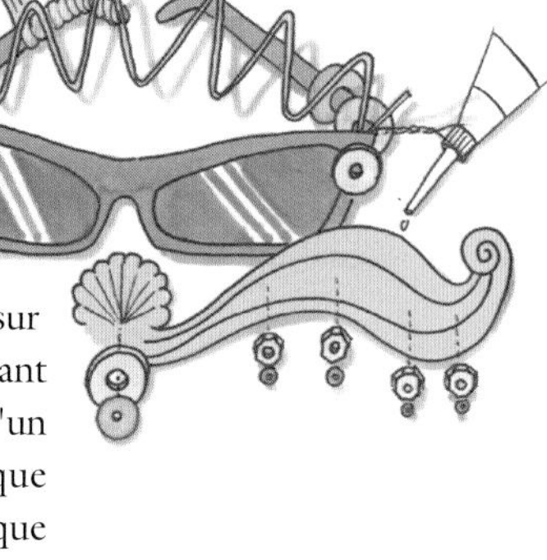

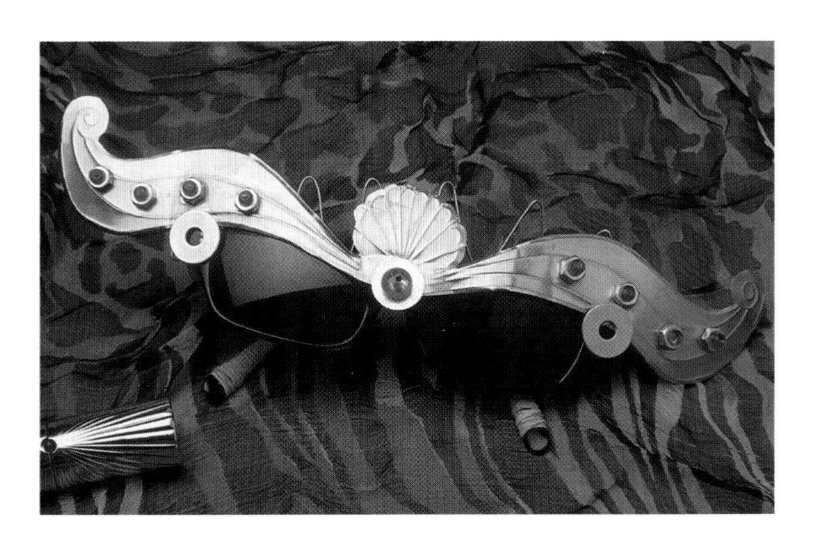

Matériel

• Lunettes de soleil à monture en plastique • feuille de laiton de 30 x 10 cm • 50 cm de fil de laiton • 4 perles rondes d'un diamètre suffisant pour passer sur les branches des lunettes • 8 petites perles de verre ou de plastique et 1 grosse (pour le centre des lunettes) • 3 rondelles métalliques • 8 petits écrous métalliques • 2 brins de raphia • ruban adhésif • ciseaux • stylo à bille • Super Glue.

La couronne de laurier pour galette des rois

Les Romains ont été les premiers à couronner des rois pour les Saturnales, bien avant l'arrivée des rois mages. Pour la prochaine Epiphanie, impressionnez vos hôtes avec ces couronnes de laurier dignes des plus grands empereurs !

Confection de la couronne

• Mesurer avec le mètre votre tour de tête. Couper la longueur de fil de fer correspondante. Former un cercle en fermant en boucle chaque extrémité du fil.

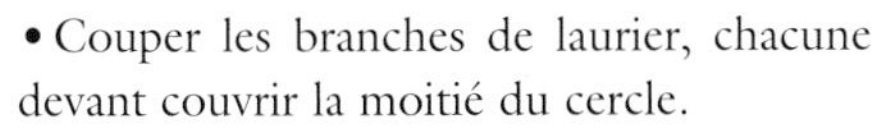

• Couper les branches de laurier, chacune devant couvrir la moitié du cercle.

• Adapter chaque branche en la liant par la base à l'une des boucles qui ferment la couronne puis en torsadant le fil de fer très fin sur toute sa longueur. Les feuilles convergeront sur le front.

• Ajouter si nécessaire quelques feuilles supplémentaires si la couronne n'est pas régulière.

La couleur

• Passer très légèrement la couronne à la bombe de peinture afin de ne pas trop en couvrir le vert des feuilles. Laisser sécher.

Les perles

• Pour chaque perle, couper 10 cm de fil de fer très fin. Glisser la perle à mi-longueur, replier en torsade le fil. Fixer sur la couronne en formant une boucle.

• Une fois toutes les perles fixées, plier leurs tiges de façon à faire apparaître les perles dans le feuillage.

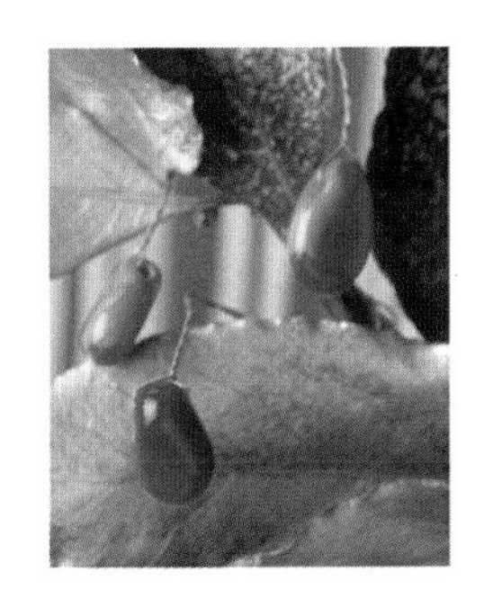

Matériel

• Laurier en branches d'au moins 20 cm (2 par couronne) • 1 m de fil de fer
• 1 douzaine de perles de verre bleues en forme de gouttes
• bobine de fil de fer très fin • pince coupante • peinture argentée en bombe
• ciseaux • mètre à ruban.

Le service à café des Gardes suisses

Rien de plus incontournable que le fameux expresso italien ! Réveillez le service en porcelaine blanche de votre mariage et décorez-le aux couleurs des Gardes suisses du Vatican pour lui donner une deuxième vie aux couleurs romaines.

Une méthode rapide

• Bien remuer les peintures avant de commencer à peindre.

• Peindre en rouge l'intérieur de 2 tasses, l'extérieur de 2 autres et 2 soucoupes.

• Peindre 2 autres soucoupes en bleu, les 2 dernières en jaune.

• Peindre l'extérieur de l'une des tasses à l'intérieur rouge en bleu, l'extérieur de l'autre en jaune.

• Peindre l'intérieur de 2 autres tasses en bleu, puis l'extérieur de l'une en rouge, celui de l'autre en jaune.

• Peindre enfin l'intérieur des 2 dernières tasses en jaune avec un extérieur en bleu et l'autre en rouge.

La technique

• Imprégner la brosse de peinture puis tamponner toute la surface pour obtenir un effet de matière. Cette méthode a l'avantage d'éviter de voir apparaître les traces de pinceau, la peinture ne couvrant pas totalement la surface. Pour obtenir une couleur plus dense, passer une deuxième couche.

Séchage et cuisson

• Laisser sécher le service 24 heures puis le mettre au four 35 min. à 150/160 °C (thermostat 5).

La peinture "cuite" prend toute sa luminosité après la cuisson et résistera au lavage même en machine.

Matériel

• 6 tasses et soucoupes en porcelaine blanche • de la peinture à cuire pour porcelaine en jaune, bleu et rouge • brosse moyenne.

Le pot à crayons colonne antique

Quelques morceaux de carton, du bristol et un peu de peinture suffiront pour réaliser cette colonne romaine à l'aspect pierreux indispensable sur votre bureau dans son rôle de pot à crayons.

Le socle et le chapiteau

• Découper au cutter dans le carton plume 4 carrés, respectivement de 9 cm, 8 cm, 7 cm et 6 cm de côté, et 2 carrés de 7,5 cm.

• Avec un mélange de peinture blanche et grise, peignez tout ou partie de ces carrés (les quatre plus petits peuvent être de la couleur de la colonne).

• Tracer au centre des trois derniers carrés un cercle de même diamètre que le tube.

• Découper au cutter ou avec un compas à lame coupante.

• Pour faire le socle, coller les 4 premiers carrés les uns sur les autres par ordre décroissant.

• Coller ensemble les deux carrés de taille égale : ils forment le chapiteau.

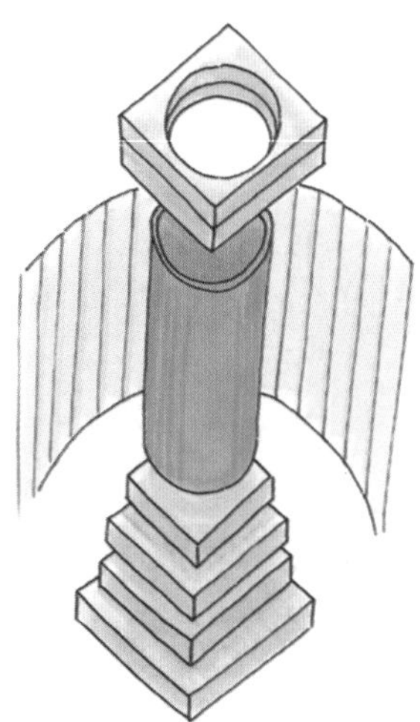

La colonne

• Découper dans le bristol une bande de la hauteur du rouleau. et plus large de 1 cm.

• A l'aide du cutter entailler légèrement la bande sur la verticale tout les centimètres.

• Plier le long de ces entailles pour former les cannelures puis coller la bande autour du tube.

• Enduire l'ensemble de la colonne avec du Gesso ou, à défaut, de peinture blanche bien épaisse. Laisser sécher

• Peindre le pot d'un mélange de blanc, de terre de Sienne et d'une pointe de noir pour obtenir un effet pierreux.

• Encastrer les extrémités du rouleau dans le socle et le chapiteau.

• Quand la peinture est bien sèche, poncer légèrement au papier de verre très fin la colonne pour lui donner un aspect vieilli.

• Vernir à la bombe.

Matériel

• Le tube de carton d'un rouleau de papier hygiénique • 1 feuille de bristol de format A5 • plaque de carton plume de format A4 et de 5 mm d'épaisseur • cutter • colle à papier • peinture acrylique en blanc, terre de Sienne, ocre et noir • pinceau moyen • brosse • papier de verre très fin • vernis en bombe • facultatif : Gesso (enduit acrylique), compas à lame coupante.

La pizza aux quatre jambons

Avec cette recette, la pizza adorée de tous change ses atours habituels. Habillée des salaisons de son pays natal en camaïeu de rouges, parée d'une croustillante croix dorée, elle attire l'attention et réveille l'appétit...

La pâte

- Travailler la pâte pour l'assouplir.
- Lui donner une forme de boule et la huiler.
- La couvrir d'un film de plastique puis la laisser lever dans un endroit chaud 1 h 30 à 2 h. Elle doit avoir doublé de volume.
- Sortir la plaque du four et préchauffer celui-ci à température maximale.
- Mélanger 6 cuillères à soupe d'huile d'olive et autant de thym.
- Prélever sur la pâte une bande pour les futures torsades.
- Abaisser la pâte à la main puis au rouleau pour faire un fond très fin de 30 cm de diamètre environ. Fariner légèrement la plaque du four, y placer la pâte après l'avoir piquée de petits coups de fourchette.
- La badigeonner avec l'huile au thym.

- Couper en 2 la bande de pâte réservée.
- Se fariner les mains puis façonner 2 torsades du diamètre de la pizza. Les placer en croix sur celle-ci.

La garniture

- Mélanger les 2 fromages. En saupoudrer chaque quartier de la pizza jusqu'à 2,5 cm du bord et en laissant les torsades à nu.
- Répartir les salaisons dans leurs quarts respectifs.
- Arroser légèrement d'huile d'olive. Saupoudrer de poivre noir.
- Faire cuire la pizza une quinzaine de minutes jusqu'à ce que la croûte soit dorée.
- A la sortie du four, parsemer de brins de thym.
- Servir aussitôt.

Ingrédients

• 700 g de pâte à pizza • 12 tranches de deux salamis différents, dont un piquant • 3 tranches de jambon fumé • 3 tranches de bresaola • 125 g de mozarelle dure râpée • 50 g de parmesan râpé • huile d'olive • thym (dont 6 cuillères pour l'huile parfumée) • sel • poivre noir.

INDEX

Crédits photographiques :

AKG PARIS : 8b, 10, 12a, 13a, 13b, 15a, 15b, 16, 17a, 18a, 18c, 19b, 20a, 20c, 21a, 21b, 22/23, 26a, 27c, 28a, 29a, 50a, 81b, 105a, 106b, 107b, 109, 113a, 118, 119b;
Cameraphoto : 19a, 104; Hilbich : 26b

CAT'S COLLECTION : 61b

D.R. : 107a, 108a

KINGFISHER : 11a, 18b, 19b, 20b, 24b, 28b, 28c, 29b, 29c, 106a, 106c, 108b

E. LECHANGEUR : 25c, 62a, 62b, 84, 85, 96b

1re couverture : OFFICE DU TOURISME ITALIEN (b)
CAT'S COLLECTION (c)

4e couverture : KINGFISHER (c)

Remerciements

L'éditeur remercie tous ceux qui ont participé à la réalisation
de cet ouvrage, notamment :

Guy-Claude Agboton, Aude Desmortiers,
Rupert Hasterok, Nicolas Lemaire,
Hervé Levano, Marie-Bénédicte Majoral,
Kha Luan Pham, Marie-Laure Ungemuth

Réalisation pour l'atelier du loisir créatif :
Michèle Forest (p. 132-139)

Illustrations : Franz Rey, Valérie Zuber

Impression Eurolitho - Milan
Dépot légal Mars 1999
Imprimé en Italie (Printed in Italy)